JN022129

# 人工知能に未来を託せますか？

# 人工知能に未来を託せますか？

## 誕生と変遷から考える

松田雄馬
Matsuda Yuma

岩波書店

# はじめに

予測のできない変化が起こり続けています。ほんの数カ月前の日常は様変わりし、数カ月後の生活すら予想できないような時代を、私たちは生きています。世界規模での感染症の発生は、世界中の人びとの生活を根本から覆しました。新たな時代に向けて、私たちは、テクノロジーと共生しながら、創造性を発揮していくことがますます求められます。

創造性の発揮という観点から、昨今、至るところで聞かれる表現があります。

「単純作業はＡＩに任せて、人間はもっとクリエイティブな仕事に集中すべき」

「創造的でない単純作業を行う労働者は職を奪われる」

しかしながら、こうした意見を聞くたびに、筆者は疑問を感じてきました。「創造的でない単純作業はＡＩに任せればいい」と簡単にいいますが、考えてみてください。人間の行う作業は、簡単にＡＩ（人工知能）に置き換えられるような単純なものばかりなのでしょうか。

ＡＩの研究に着手すると、人間が普段何気なく行っていることが、どれほど難しいかがわかります。人間が日々「当たり前」のように行っていることは、生きるための知恵の結晶ともいえ、「生命知」とも呼ばれています。当たり前のように生きるということそれ自体が「創造的（クリエイティブ）」であり、ＡＩにとって最も難しい課題の一つといえます。

人間とＡＩとの違いに関する情報が不十分なために、人間についての理解が進んでおらず、結果として、自分自身の大きな可能性に気づけていない人が少なくないのではないか——ＡＩに注目が集まる昨今、筆者は日々、そう感じます。とくに「仕事」や「創造力」をテーマに議論したときに「人間はもっと創造力を高めるべき」といった安易な結論に陥りやすく、「自分には創造力がない」と思い込んでいる人にとって、生きづらい社会が形成されているのではないでしょうか。

「創造力を高めるにはどうすればよいのか」

「プログラミングを学べば創造的になれるのか」

このような悩みや疑問に加え、不安が蔓延しています。もちろん、世の中にはプログラミング能力が高く、次々に斬新なアイデアを形にできる人も大勢います。しかし、プログラミングを学ぶだけでは、創造力の発揮にはつながりません。人間とＡＩについて知ることで、人間は本来、創造力の豊かな生き物だということに気づかされます。

例を挙げればきりがありません。ギリシャのメテオラという場所に行くと、地上６００メートルもの高さの巨大な奇岩の頂に、美しい修道院が、所狭しと立ち並ぶ様子に驚かされます。これほどの建造物を、こんな場所に一体どのようにして建てることができたのか、と目を疑います。また、日本の飛鳥時代に建てられた法隆寺は、現存する世界最古の木造建築物といわれており、その優れた耐震構造は、現代の技術をもってしても、十分に解明されていないといいます。

世界は創造性に満ちています。創造力を発揮するには、プログラミングのような特別なものを学ぶ必要は必ずしもなく、人間として生きる、すなわち、人間らしくいることができさえすればよいのでるように思えます。しかしながら、人間らしさを発揮することすら困難にさせてしまう何かが、この現代社会にはあるように思えます。

情報化され、ネットワーク化が進んだ現代社会は、あらゆるものが数値化され、比較されます。数値化された社会は、私たちが創造性を発揮しようとするとすぐに牙を剝きます。現代社会における数値化の問題の一つに、日本の経済成長期に始まったとされる、学校教育への偏差値の導入が考えられます。これによって「どのような道に進み、どのような人生を歩みたいか」という、本来は創造的な行為のはずの人生の選択が、「自分の偏差値はこれくらいだから、この学校かこの学校を選択するのが妥当」というように、数値によるマッチングを受けるようになりました。現在では「就職偏差値」などという言葉があるだけでなく、就職活動時に、内定を取れた数を比較する学生も少なくありません。ネットワーク化され、多くの会社や学生の状況を知ることができるようになった一方で、情報が集まるようになり、自分自身が比較され、数値で表現されてしまうことによって、比較された数値そのものが、まるで自分の価値であるかのように感じてしまう、生きづらい社会になってしまっているのではないでしょうか。

「この情報社会、なにかがおかしいのではないか」

現在の情報社会が誕生する以前に、私たちは、生きづらい世界を期待していたわけではありません。実際、インターネットがこの世に登場したばかりの頃、その響きを聞いただけで「どんな世界がやってくるのだろう」と胸を躍らせ、情報システムの技術者を志した人も少なくありません。情報社会を創った先人たちは、どんな社会を目指したのでしょうか。

歴史を読み解いていくと、先人たちの想いや「心」に近づくことができます。彼らがどんな時代を生き、何を感じ、何に悩んで技術開発を重ね、社会を変えていったのかを知ることで、現代の情報社会の正体が、少しずつわかるようになります。そして、私たち一人ひとりが、現代社会をどのように生き、どのように変革していくべきかが見えてきます。情報社会の歴史を読み解いてわかるのは、この社会への違和感を解く鍵が、まさにＡＩにあるということです。

小学生向けのワークショップで、次のような素朴な質問を投げかけられたことがあります。

「ＡＩが仕事をやってくれるなら、私は勉強しなくても大丈夫だよね？」

この問いに明確に答えられないなら、本書はあなたにとって、意味ある一冊になるでしょう。「ＡＩ」という言葉は、望む望まざるにかかわらず、今、私たちの生活を侵食しています。ＡＩに関するさまざまな疑問は、私たちが働く意味、学ぶ意味、そして生きる意味の再考を迫ります。ＡＩの理解を通して人間や社会を顧みたとき、そこにはこれまで見たことのない新しい未来が拓けてきます。

本書では「ＡＩ（人工知能）」と呼ばれる技術が今、社会とどのように関わっており、これからの社会をどう変革していくのかについて、人工知能の研究開発を行ってきた筆者が、その歴史的背景や社会の変遷について触れながら解説します。とくに、人工知能という概念がどのように誕生し、技術とともにどう変わっていったのかを紹介しながら、これからの技術開発への可能性と社会の未来について考えます。

これからの時代をどのように生きていけばよいのか――本書が、社会にとって、そして読者のみなさんの未来にとっての道標となることを願います。

# 目　次

本文イラスト＝村山宇希

# 序章
# 何かがおかしい　研究者・技術者としての違和感

走るスピードで車に勝てなくても「人間は車に勝てない」「人間は、走る仕事を車に奪われる」という人はどこにもいません。それなのに、なぜ、囲碁や将棋で人間に勝るコンピュータが出現したからといって「人間はＡＩに勝てない」「人間はＡＩに仕事を奪われる」などという表現が至るところで聞かれるのでしょうか。ＡＩ（人工知能）の研究を行うなかで、素朴に感じる疑問です。

世の中には、暗算が得意な人は大勢います。そして、どんなに複雑な計算を暗算できる人も、表計算ソフトの計算能力の足元にも及ばないことを、私たちは知っています。「人間はエクセルに勝てない」などと主張して社会問題にする人はどこにもいません。エクセルが計算能力で勝っているからといって、人間の仕事が奪われるわけではなく、エクセルそのものは単なる道具にすぎないことを、私たちは知っています。表現を変えると、エクセルには、人間の存在そのものが脅かされるわけではないということを、私たちは知っています。しかしながら「ＡＩ（人工知能）」が主語になると、状況は一変するようです。

「ＡＩ（人工知能）」という言葉は、非常に魅力的な響きと同時に、空恐ろしさを感じさせる性質をもちます。人工知能とは、言葉通り、人間の知能を人工的に実現したものです。もし、人間の知能すべてが人工的に実現でき、疲れを知らず、驚異的なスピードで無限の知識を学習できる機械が実現できるとすれば、人間よりもはるかに勝る人工人間が出現したといえます。万が一、人間の知能すべてを人工的に実現したＡＩなるものが登場したとすれば、それは、あらゆる人間の行為を代替できる夢の技術であると同時に、人間の存在そのものを危うくする「最終兵器」として、私たち人間の前に立ちはだかることになるかもしれません。そうなれば、人間がどれだけ創造性を高めようなどと悪戦苦闘したところで、無駄な努力に終わってしまうことでしょう。人類は、自ら発明したＡＩによって、滅びの道を歩む、という未来に向かっていくことになります。

「ＡＩ」という言葉から、そのような破滅的な未来を連想している人にとって、本書は希望を与えるかもしれません。逆にＡＩにすべてを代替させ、自らは働かなくてもよいという楽観的な未来を連想している人にとって、本書の描く現実は想像と異なり、がっかりするかもしれません。実は、人間よりはるかに勝り、人間の仕事を奪うＡＩ像は、根拠に基づくものではないのです。

では、根拠に基づくＡＩ像とはどんなものでしょう。それを知るには、ＡＩの研究者が実際に何を行っているかを知るのが近道です。

ＡＩの研究者は、一言でいうと、人間の知能とは何なのかを少しずつ解明し、明かされた人間の能力を人工的に実現する技術を発明することによって、人間の役に立てようとしています。

ここで何より重要なのは「人間の知能」が未だ解明されていないということです。解明されない「人間の知能」を人工的に実現するのは、そもそも不可能です。実際のところ、「人工知能研究の成果物」として世に送り出されている技術は、「人間の知能」そのものを人工的に実現したものではありません。あくまで、「人間の知能には、こういう側面もあるのではないか」と研究者らが考えたものが具現化されたのが、私たちが「ＡＩ技術」などと呼ぶものです。しかし、やはりＡＩ技術と聞くと、それは、人間の知能そのものを代替しているように聞こえてしまいます。ここにこそ「ＡＩ」という言葉の響きと、実際に世の中に存在する「ＡＩと呼ばれる何らかの技術」との間の深い溝があるのです。

ＡＩの研究者は、その時代の最先端科学の知識を総動員して「きっと人間の知能とは、このようなものだろう」と想像されるものを形にしてきました。なかには人間の想像をはるかに下回るものも、予想外の形で社会に浸透していったものもあります。

たとえば、プログラミング言語はＡＩの実現を目指すなかで生まれました。「機械に命令を理解させ、それを実現させるにはどうすればよいか」を研究するなかで誕生したプログラミング言語は、今や、技術者が私たちの住む社会を支える情報システムを開発するのに欠かせません。一方で、それを「ＡＩ」と呼ぶ人はほとんどいないのではないでしょうか。

研究者たちは「人間の知能」という難問に立ち向かいながら、その過程で生まれた技術によって社会を変え、情報社会といわれる現代社会そのものをつくりあげていったといえます。ＡＩの研究の歴史を知ることは、人類の歴史そのものを知ることといっても過言ではありません。

人間に生まれながらに備わっていながら解明されていない未知の能力は、意外にも、私たちが日々生きているなかで、知らず知らずのうちに発揮されています。ＡＩを研究していくと、人間が普段、当然のように行っている行為が、いかに「創造的」であり、ＡＩなどと呼ばれる技術がはるかに及ばないものであるかがわかります。にもかかわらず、人間のもつ大きな潜在能力に光が当たっていないことは、現代社会の弊害といえます。ＡＩの研究を通して社会を見ると、現代社会そのものが、人間らしさを奪ってしまう構造が見えてきます。ＡＩの研究者は、人間の知能とは何なのかを想像しながら情報社会をつくりあげていきました。その延長線上にある現代の情報社会が、人間の能力そのものを奪ってしまっているとすると、皮肉な話です。筆者は、ＡＩの研究の歴史をたどっていくことによって、現代社会のからくりに気づくことができると考えています。

本書を通して、ＡＩへの理解を深め、その過程で「人間らしさ」についても考察し、「人間らしさ」を奪う現代社会の構造についての知見を広げていきましょう。その先にこそ、私たちが人間らしさを発揮して生きていくことができる社会の青写真を描くことができます。その第一歩として、人間と「ＡＩ」と呼ばれるものとの比較から始めましょう。

## 人間とＡＩ――創造性の源泉

人間とは何か。そして、人間のもつ知能とは何か。現代科学における未解明の最大の問題は、人間から最も遠い宇宙と、最も近い自分たち自身であるといわれます。人間、脳、そして知能という、私たちにとって最も身近なはずのものは、最も理解することが難しいのです。

「ＡＩと呼ばれる技術」が社会に浸透し、人間の多くの仕事を代替していくといわれています。単純作業は「ＡＩ」に、そして、人間は「ＡＩ」にはできない創造的なことをするべき、ということが、まことしやかに語られています。しかしながら、実際のところは、たとえ単純作業に見えるものであっても、あくまで道具にすぎない「ＡＩと呼ばれる技術群」に必ずしも人間を代替できるものではありません（ここからは「ＡＩと呼ばれる技術群」を「ＡＩ」と表記し、人間の知能を人工的に実現するという概念を「人工知能」と表記します）。

人間と「ＡＩ」との違いを理解するために、人間にとって最も身近な行為の一つである「見る」ことについて考えてみましょう。まず、人間でない機械はどのようにしてものを見ているのでしょうか。機械がものを「見る」ためには、最初にカメラという「目」を通して映像を取得する必要があります。

機械にとっての目であるカメラ（とくにデジタルカメラ）の仕組みと、人間の目の仕組みはよく似ています。カメラのレンズで集められた光は、映像となって格子状に並んだ「画像センサー」に投影されます。こうして映像は、格子状に並んだ画素（ピクセル）の集まりとして知覚されます。画素は、画像データを構成する最小単位です。人間の目に入る光もまた、網膜に並ぶ網膜細胞（画素に相当する）に投影されます。すなわち、機械の目も人間の目も、「画素の集まり」として、外界を知覚しているのです。

しかし、映像が「画素の集まり」として知覚されるだけでは、どこに何がいるかはわかりません。人間の目には明らかに「馬が2頭いる」とわかる映像であっても、機械にとっては、画素の集まりが知覚されるだけです（図０‐１）。馬の映像を拡大してみると、そもそもどの画素が馬に対応していて、どの画素が背景に対応しているのかを「画素」という情報だけから判断するのは、容易でないことがわかります。

図 **0-1**　機械から見た世界

人間は、たった1枚の写真から、2頭の馬が草を食べている様子や、背景に村があり、そのまた後ろに山があることを見出します。それだけでなく、2頭が仲よさそうに並んでいる様子から「ひょっとするとこの馬は親子かもしれない」「村民によって放牧されているのかもしれない」などと、写真から連想することすらできます。見たり、感じたりといった、人間にとって当たり前のことは、機械にとってはまったく当たり前ではない行為です。人間の感覚は、身体を通じ、今、ここから得られる情報からつくり出されるものです。これこそが、私たちにとっては当たり前すぎることであり、受け入れがたいかもしれませんが、実は、人間にとっての創造力の源泉なのです。

何気ない「今、ここ」でしか得られない感覚から自由に想像力を発揮し、その場その場で発想を膨らませ、自分自身の思いで行動していくことができることそれ自体が、機械にはない、人間の能力そのものといえるのです。

近年の画像処理技術や機械学習技術など、「ＡＩ」と一括りにされる技術群の進展によって、数多くの馬の画像データを機械に学習させることで、馬に共通する特徴を見出すことができるようになりました。馬の画像データを学習させた「AI」、すなわち、学習した画像データを統計的に分析することで、画像のなかの物体を認識する情報処理システムは、馬が映った映像を見て次のような表現をすることでしょう。「馬89％、鳥10・1％、チョコレート0・9％」。過去に学習した画像データを用いて計算を行う限り、その結果は、過去のデータから統計的に導き出さざるを得ず、確率的な表現にならざるを得ません。このため「過去のデータから判断すると、今、目の前にいるのが馬である可能性は89％」といった表現をせざるを得ません。これは、たった1枚の写真から、まるで自分の身体がそこにあるかのように感じ、「この馬は親子かもしれない」などと、そこにはない情報をつくり出し、連想する人間が頭のなかで描く表現とは決定的に異なります。身体感覚をもたない機械は、データを用いた確率的な表現に頼らざるを得ないのです。

もちろん、人間も、確率的な表現に頼ることはあります。一度しか会ったことのない印象の薄い人を「Aさんだったかもしれないし、Bさんだったかもしれない。どちらかというとAさんである可能性が高い」などと考えたり、教科書の内容を思い出す際に「Aだったかもしれないし、Bだったかもしれない」と考えたり、といった事例は当然ながら数多くあります。しかしながら、恐怖体験などの一度の強烈な経験から、そのときの情景をありありと思い出したり、目の前の1枚の写真から、必ずしもそこに描かれていない数多くのドラマを想起したり、などといったことは、私たち人間にはできても、機械にはできません。私たちは、「創造性を発揮せよ」などといわれるまでもなく、人間として生きている時点で、機械には決してできない能力を発揮しているのです。私たち人間にとって、生きることそれ自体が、創造性を発揮することに他なりません。しかしながら、自分自身が人間らしさを発揮していることを感じにくくさせる構造が、現代社会にはあります。ＡＩと社会についての議論を行う際、人間らしさを奪う社会の構造に関する話題を避けて通ることはできません。

## 社会の画一化──なぜ人間らしさは奪われるのか

私たちは、人間として生きているからこそ、ものを見、何かを感じ、行動することができます。私たち一人ひとりに、それまで生きてきた人生があり、それは、先人たちが築き上げてきた歴史の流れのなかで日々描かれる物語であり、その物語の上に立つからこそ「今、ここ」の環境で、何かを感じることができるのです。それは、機械には真似できない創造性そのものであるといえます。しかしながら、情報社会といわれる現代社会は、創造性を奪う構造をもっています。そのキーワードは「統計」「データ」、そして「ネットワーク」です。

昨今、「ＡＩ」が、画像や音声などのデータから統計情報を分析して学習を行うことができるとして注目されています。馬だけでなく、人間の画像を分析することで、職人のもつ高度な技のエッセンスをつかむことも夢ではありません。そして、人の立ち入ることのできない発電所などの場所で、事故の予兆などの発見に応用することもできます。データの統計的性質の分析は、現代社会にとって、なくてはならない基盤技術になりつつあります。

しかしながら、事はそう単純ではありません。スマートフォンやパソコンを通して、一人ひとりがネットワークによってつながる現代社会において、データの統計分析は、光と影を兼ね備えた諸刃の剣ともいえます。ネットワーク社会のなかで、データの統計的分析による相異なる二つの側面について、例を用いて紹介します。

今、あなたは、クイズ番組に出場しているとします。そして、自分には答えのわからない四択問題に直面しており、専門家1人か、あるいは、ほとんどが素人ばかりの観覧者からのアンケート結果のどちらかに助けを求めることができるとします。どちらに助けを求めたほうが、正しい答えに近づけるでしょうか。興味深いことに、専門家1人が答えを選択するよりも、アンケートで最も多くの人が選択した答えのほうが、正解である確率が圧倒的に高いといわれています。「クイズ・ミリオネア」という番組では、専門家に助けを求めた場合の正答率は65%だったのに対し、アンケートによる正答率は91%に達したそうです。『「みんなの意見」は案外正しい』というタイトルの本(ジェームズ・スロウィッキー、角川文庫)があるように、たとえ一人ひとりが素人であっても、大勢の判断を総合することで、賢い判断を下すことができます。これは、「集団の知恵(the wisdom of crowds)」と呼ばれる知力が、私たち人間には備わっていることの一つの表れです。同時に、このクイズ番組の例は、たった1人の判断に依存するのではなく、集団による知恵を、統計的に分析することの重要性を説いているともいえます。

さて、私たち人間の集団は、思わぬ知恵を生み出す一方で、簡単に「衆愚」に陥るという性質も併せもっています。再び、あなた自身が、クイズ番組に出場していることを想定してみましょう。今度は、観覧者同士が互いに相談でき、また、ＳＮＳを通じて誰がどういった考えをもっているのかを見ながら、自分の意見をその都度変えていけるようなシステムを導入したうえで、観覧者アンケートを行う、という場面を想定します。このとき、専門家1人か、観覧者からのアンケート結果か、どちらが正しい答えを導き出す可能性が高いでしょうか。実際のところ、まったく同じ番組でこのような設定があったわけではありません。ただ、クイズの問題が難しければ難しいほど、観覧者のなかでは混乱が生じることは間違いないでしょう。誰にも相談しない状況下で答えを考えるのであれば、一人ひとりの判断は必ずしも正しくないかもしれませんが、足し合わせることで正解に近づくことができます。しかし、他人の意見によって自分の意見を変えられるとすると、状況は一変します。「自分の意見は少数派のようだ」「自分よりも賢い○○さんの意見は自分とは異なるようだ」「どうやら△△さんという人は、この分野に詳しいらしく、彼の答えは××のようだ」などといった、クイズの問題とは関係のない情報も付加され、自分自身の判断それ自体が集団の判断に引きずられていきます。そして、実際には正解かどうかはさておき、集団のなかで声の大きな人が核となってつくられたものが、その集団のなかで導き出された答えとなってしまうのです。

これらクイズ番組のような現象は、私たちの社会のなかで至るところに見られます。私たちは、誰にも相談することなく、自分自身の判断で意思決定を行う場合と、誰かの意見を参考にしながら、自分の意見を変えていく場合の両方があります。興味深いことに、両者は、統計的性質が大きく異なります。

前者の場合も、自分自身の意見は自分とつながりをもつ人びとの影響を多少なりとも受けるものです。どのような影響を受けるかは、状況によって異なりますが、一人ひとりが接することのできる人

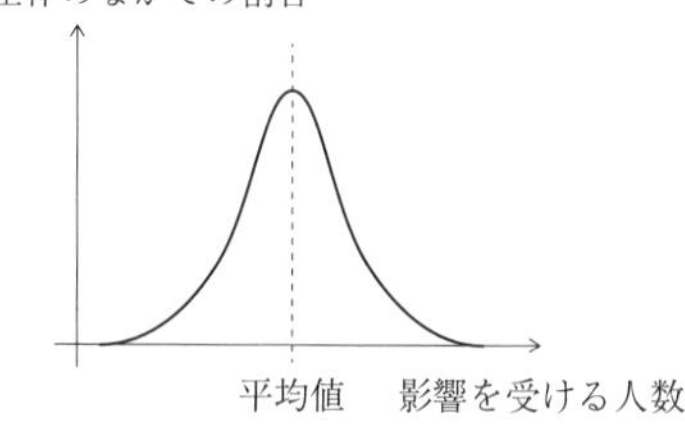

(a) 正規分布

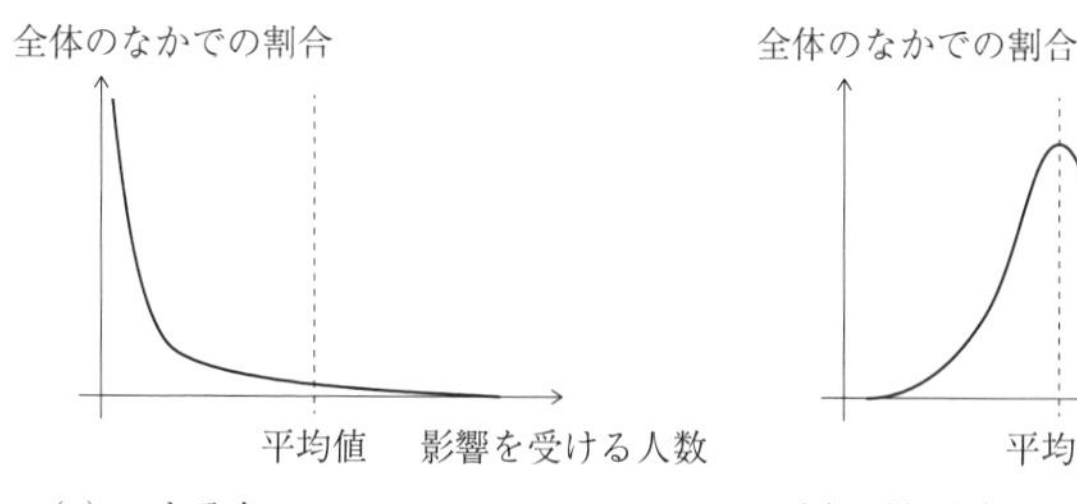

(b) べき分布

図**0-2**　正規分布とべき分布

数は限られているため、影響を受ける人数は、どんな人であれ、その平均値付近に落ち着きます。これを図にすると、図0－2（a）の「正規分布」と呼ばれる、平均値付近をピークとする（多数が集まる）分布となります。

一方、誰かの意見を参考にする場合は、この限りではありません。一人ひとりの意見は、SNSやニュースメディアで目につきやすい、極々少数の意見に大きく引きずられることになります。ほとんどの人の影響力はほぼゼロなのに対し、極めて少数の人の影響力（影響を受ける人数）が極めて大きくなり、その平均値は意味をもちません。こうした影響力は、「べき分布」と呼ばれる分布（図0－2（b））を見るとよくわかります。一人ひとりの極めて小さな影響力は無視され、少数の影響力をもつ人に意見が引きずられ、その影響は、影響力をもてばもつほど、さらに大きくなっていくのです。このような、人間関係のなかで成長していく影響力は、「複雑ネットワーク理論」と呼ばれ、研究されています。

世界規模でのネットワーク化が進む現代社会では、SNSなどを通じて誰もが情報を発信でき、また、誰かが発信した情報を簡単に閲覧できます。すると、自分の意見は、他人からの影響をさまざまな角度から受けやすく、その結果として世界はべき分布化し、その影響は加速していきます。今世紀に入る前後、インターネットによって自由闊達な意見交換ができるといわれていた社会は、その実、少数の意見が（正しいかどうかはさておき）大きな影響力をもつ社会であるともいえます。

ネットワーク社会のなかで、個々人の小さな影響力は無視され、その結果として、本来、一人ひとりが生きていることそれ自体によって発揮される創造性は、取るに足らないものとして無視されていきます。この現象は、ネットワーク化された社会そのものが構造的にもつ性質であり、避けることはできません。しかしながら、そうした構造について知ってさえいれば、この社会で起きているさまざまな現象を客観視することができます。

もちろん、客観視できたからといって、簡単に避けることができるものではありません。しかし、客観視できなければ、自分自身がその構造のなかにいることにすら気づくことはできません。ネットワーク社会のなかにおいても、個々人が創造性を発揮して生きていくには、客観的なものの見方をすること自体が、その第一歩といえるのです。

前述した通り、データを統計分析することそれ自体による恩恵は大きく、現代社会にとって欠かすことのできない基盤技術になりつつあります。統計分析の良さを生かしながら、誰もが人間らしさを発揮し、豊かに生きる社会を実現するために、社会の構造についての理解を深め、客観的なものの見方をすることもまた、これからの社会にとって私たちが身につけるべき基盤の「技術」といえるかもしれません。

## 巨人の肩の上に立つ——現代社会の向かう先

ネットワーク化された現代社会を生きていると「昔は良かった」と感じる人は少なくないかもしれません。科学技術が発達し、世界中がネットワークによってつながり、手元のスマートフォンから常に情報が手に入る現代社会では、少しでも油断していると社会から取り残されてしまうような強迫観念に駆られてしまい、ゆっくり落ち着いて自分を見つめ直す時間を取ることすら、難しいように感じられてしまいます。

しかしながら、一歩引いて考えてみると、現代ほど「恵まれている」時代もまた、これまでにないことだったという見方もできます。過去には、生まれた家柄で職業が決まってしまう時代もありました。たとえ職業選択の自由があっても、どこで生まれ育ったかによって得られる情報が決まり、それによって、ある程度の将来は決まってしまっていました。ところが今や、誰もが自由に情報に触れることができ、ネットワークを介して、地球の裏側の人とでも出会うことができます。これまでの時代とは比較にならないほど、人間らしく生きることができる時代といえます。そして、前述の通り、ネットワーク社会が人間らしさを奪ってしまうという構造を客観視することができれば、それは、忙しい現代社会においても、人間としての創造性を発揮できる第一歩につながると考えられます。

それに加え、ここでは、現代社会をとらえるうえで、さらに重要な視点について考えていきたいと思います。

物事には、必ず始まりがあります。現代のネットワーク社会もまた、ある日突然始まったわけではありません。そこには、始まりをつくった人がいて、その人は、つくりたい理想の社会に対する何らかの想いをもっていたはずです。歴史を学ぶということは、過去に起こった出来事の表面だけをなぞることではありません。過去の出来事は、必ず現代とつながっています。そして、過去の出来事にも、必ずそれを起こした人がいて、その人にも、社会に対する想いがあったはずです。現代社会の始まりにまで遡り、それをつくった人の想いに迫ることで、今、社会に何が起こっているのか、そして、社会はこれからどこに向かっているのかを知ることができます。その上に立ってこそ、私たちはこれからどこに向かっていくべきかを考えることができるのです。たとえ、人間一人に考えられることは小さくとも、過去の先人が何を想い、どのようにして現代社会を築き上げてきたかを知ることで、先人の思い描いた世界のさらに先を見ることができます。それがまさに、17・18世紀のイギリスの科学者アイザック・ニュートンが遺した「巨人の肩の上に立つ」という言葉の意味です。

さて、現代のネットワーク社会の歴史に関して興味深いのは、その始まりがＡＩの研究にあったということです。ＡＩ研究が盛り上がりを見せるなか、その研究姿勢に対して問題意識をもつ研究者が生まれ、ＡＩ研究を否定したところに、ネットワーク社会の原点を見出すことができます。このような研究の歴史を通して、始まりに触れることで見えてくるのは、現代社会が与える恩恵とその限界です。ネットワーク社会を、その構造だけでなく、歴史的背景からも理解していくことで、今、私たちが何に向き合うべきかを考えることができます。あまり語られることのない、ＡＩとネットワークとのつながりを知り、現代社会を裏側から見るために、70年前まで時代を遡ってみたいと思います。彼らの描いた未来は、そのまま現代社会に反映されており、その意味で、彼らが何を考え、何を実現してきたかを理解することは、現代においても大きな意味をもちます。

## ＡＩとネットワーク社会――人とコンピュータの共生

時は１９５０年代、アメリカを中心に、最初のＡＩブームが起こりました。そのブームを否定し、ブームの「後の時代」の礎を築いた創始者ともいえる２人の人物の思想は、現代にまで連綿と受け継がれる情報社会そのものを築き上げたといえます。１人は、アメリカのコンピュータ技術者ヴァネヴァー・ブッシュであり、もう1人は、アメリカの音響心理学者でアメリカ音響学会会長でもあったジョゼフ・カール・ロブネット・リックライダーです。

ブッシュは１９４５年に論文「As we may think（我々が思考するが如く）」を執筆し、文書・図像・音声などの多様な記録を自由に連結し、検索して読み書きできるようにできる「ハイパーメディア」という概念を打ち出し、現在のパソコンの基礎を築きました。一方のリックライダーは、１９６０年に論文「Man-computer symbiosis（人とコンピュータの共生）」を執筆し、人間とコンピュータとのあるべき姿を提唱しました。彼らの思想は当時の技術者に、まだ見ぬ情報社会の描像として、影響を与え続けてきました。とくにリックライダーの考え方は、情報社会の未来を導く思想としての役割を担ってきました。

リックライダーは、生態系におけるイチジクとイチジクコバチとの切っても切れない共生関係に着想を得て、人間とコンピュータとが、どのように「共生」していけるかを分析しました。当時の大勢のＡＩ研究者とは異なり、彼は、人間を超えるようなコンピュータを開発することには関心がありませんでした。その代わりに自分自身の研究生活が事務作業に支配されていることに問題意識をもち、事務作業をコンピュータに代替させることで、自分自身がより創造的（クリエイティブ）な研究生活を送ることを目指しました。そして、人とコンピュータの違いを冷静に分析したうえで「人は目標を定め、仮説を立て、尺度を決め、評価を行う。計算機械はルーチン化された仕事はするが、それは技術的かつ科学的思考の洞察や決定の材料にすぎない」と断じたのです。

さらに「人とコンピュータの共生」という考え方を軸に、彼は、人間の「知」のあり方についても考察を深めます。１９６５年に著した報告書「未来の図書館（Libraries of the future）」のなかで、人間の「知」がネットワークを介してつながる情報通信のあり方について提唱します。ＡＩが情報を蓄積するという、広く描かれてきた図式とは一線を画し、人間が「知」を共有することによって「人間はこれまで誰も考えたことのなかった方法で考えることができ、マシンはこれまで到達できなかったデータ処理が可能となる」という未来を描きました。この構想が、アメリカ国防総省国防高等研究計画局（ＡＲＰＡ）に受け入れられ、非軍事の将来性のある技術として投資を受けました。ＡＲＰＡの研究部門の部長に任命された彼は、「地球規模のコンピュータ・ネットワーク」を構築するＡＲＰＡＮＥＴと呼ばれるコンピュータ・ネットワークの研究開発を牽引することとなりました。これがまさに、現在、私たちが日々利用している、インターネットの原型です。すなわち、私たちの生きるこの情報社会を支える根本思想は「コンピュータが人間に取って代わる」のではなく、「人間とコンピュータが共生する」社会像を基盤にしているといえます。ルーチン化された事務作業など、コンピュータが得意なことをコンピュータが担い、創造的な仕事を人間が担うという共生関係が基盤にある社会です。リックライダーの業績は、インターネットの発明に留まりません。彼が後任に指名したアイヴァン・サザーランドは、リックライダーの「人とコンピュータとの共生」という思想の影響を大きく受け、当時としてはまったく新しい概念を用いたコンピュータ・システムを発明しました。それが、誰もが画面を使って直感的にコンピュータ操作ができる、今、私たちが当然のように使っている技術であり、これによってコンピュータ・グラフィックスの分野を開花させました。

その弟子にあたり、パソコンの父とも呼ばれるアラン・ケイは「ダイナブック構想」を打ち出します。子どもでも持ち運べ、手のひらの上で自分の思う創作物をつくることができる「動的な本（ダイナブック）」を開発し、誰もがコンピュータ科学の恩恵を受けられるシステムを構築するという構想です。このアイデアは、現在のパソコンの原型になりました。ダイナブックの試作品を視察したスティーヴ・ジョブズは、当時計画中の構想を大幅に変更し、ダイナブックのアイデアを盛り込んだMacintoshを開発することで、デザイナーやクリエイターが、自らの創造性をいかんなく発揮できるパソコンを世に生み出しました。パソコンは、クリエイターなどの自らのアイデアによって創作物を生み出すことを生業にしている人たちの創造性を手助けする道具として魂を吹き込まれたのです。これは「人とコンピュータの共生」によって、人間が自らの創造性を発揮できるようにと考えたリックライダーの思想そのものといえます。

リックライダーらに始まるコンピュータの進化史は、わかりやすく現代につながっています。リックライダーらの時代から見ると、まさに現代は「理想が実現した世界」といえるでしょう。実際、リックライダーらの活躍により、コンピュータは、想い一つでいくらでも仕事を効率化でき、それによって人間自身の能力をますます発揮できる「理想を実現する道具」としての役割を得ました。人と共生する役割としてのコンピュータの描像が現実化していったといえます。

リックライダーらの歴史は、現代社会において模範的とされる生き方を提示します。彼らが教える生き方は、個人の創造性が世界をも変える力になるということです。リックライダーは、日々の研究生活のなかで生まれた問題意識に無視することなく向き合うことで、「人とコンピュータの共生」という思想を提示しました。それは、地球規模のコンピュータ・ネットワーク社会をも実現する力となります。その力は、機械がルーチン化された仕事を行うことでますます発揮され、それによって、機械もさらに、その能力を発揮できます。実際、リックライダーの創造した社会は個人が活躍する時代を生み出しました。アラン・ケイが考案し、スティーヴ・ジョブズがMacintoshとして製品化した「動的な本」によって、ケイの思い描いた通り、手のひらの上で自分の思う創作物をつくる、多くのクリエイターが活躍できるようになりました。

この新しい道具は、ホームページを作成することで、文字や画像などの情報を発信し、誰もが自分自身を表現することを可能にしました。その情報発信手段はブログやSNSへと進化を遂げ、さらに多くの人が気軽に情報を公開するとともに、地球の裏側にいる人とも簡単につながることができるようになりました。それまでは、個人は国や企業といった大きな組織に比べて力をもちませんでした。しかし、彼らの発明した道具、創造した文化は、個人の力を、大きな組織のそれに劣らないものにすることを可能にしたのです。身の回りの人との交流だけでは満足できない、もっと広い場所で自分の力を試したいという、大きな目標をもつ人にとって夢の時代が到来したといえます。それだけではなく、自分の力など微々たるものだと諦めていた人にとっても、自ら情報を発信し、それに対して直接会ったことのない人からの反応が得られる文化は、自信につながり、より広い場所を求めるモチベーションにもつながります。リックライダーらの創造した文化は、個人の力と夢を大きなものへと育て上げたといえるかもしれません。

## アメリカン・フロンティア精神――情報社会の隠れた思想

その一方で、彼らの文化は、情報発信に対して必ずしも前向きでない人や、広い場所で活躍するより小さな日常を大事にする人、そして情報発信を半ば強要しそれができない人を「創造的でない」などとする文化を快く感じない人には生きづらく感じさせるものがあります。「人とコンピュータの共生」という思想は、コンピュータによる作業の効率化と、自らの能力の発揮を強制する一面も、ないわけではありません。ルーチンワークのような繰り返しの単純作業から多くの学びを得、新しいものを生み出すという考え方は、日本古来の武道などで大事にされた修練につながります。しかしながら、繰り返しのなかでこそ磨かれる創造性は、リックライダーの思想には盛り込まれていません。このような、リックライダーらの創造した文化の問題点について、未だ情報社会の黎明期であった1997年の日本において鋭い指摘を展開したのが、情報科学者の西垣通でした。彼は、リックライダーの思想について次のように指摘しています。

リックライダーはどのように〝ヒト〟という存在を捉えていたのだろうか？——「ヒトとコンピュータの共生」という題からも分かるように、私にはこの人物がやはりヒトを「一種の機械」と見なしていたような気がする。異種同士が補完しあうというより、基本的には同種の存在だからこそ緊密な連携がとれる、という議論なのである。

（西垣通『思想としてのパソコン』ＮＴＴ出版）

西垣は、リックライダーの思想について、本書でさらに「「パソコンの思想とは、つきつめればアメリカン・フロンティア精神のことである」と言ってもよいだろう。それは、あらゆる次元で、統御し操作できる領域を拡大していく精神的ダイナミズムのことである」としたうえで、アメリカン・フロンティア精神の二面性を論じています。アメリカのもつ開拓者精神は、現状に満足せず、常に勇気と克己心をもって難問を乗り越え、皆で協力して理想の実現のために努力することによる開拓の歴史や画期的な発明、ファンタジー創造の文化があり、ボランティア精神に溢れています。その一方で、飽くことなき「侵犯」をもたらしインディアンたちを残酷に征服し、自然環境を無惨に破壊し、伝統美を子どもっぽくけばけばしい大衆的娯楽で押しつぶすという、負の側面も併せもちます。

現代の情報社会を生きる私たちは、この情報社会が、リックライダーらの提唱する「人とコンピュータの共生」という概念に基づいて発展したものであり、それは、アメリカン・フロンティア精神を内包するものであったということを知る必要があります。そして、アメリカン・フロンティア精神は、理想の実現に向けた協力の精神の一方で、犠牲をいとわないということも知る必要があります。さらにいうならば、アメリカン・フロンティア精神そのものが、現在、急成長する巨大ＩＴ企業を下支えしているともいえるのです。

現代の情報社会を創造したリックライダーの思想を下支えしているアメリカン・フロンティア精神は、誰もがネットワークを介して情報にアクセスし、また、自らの力で情報を発信することのできる夢の社会を創造してきた一方で、彼らの精神に合致しない伝統を押しつぶすという危険な側面も併せもちます。アメリカン・フロンティア精神は、それに合致する開拓者精神をもつ人にとっては生きやすい反面、伝統に価値を感じるなど、その精神に合致しないものも抱いている人にとっては、押しつぶされるような生きづらさを感じることでしょう。そして、ネットワークそのもののもつ、社会を画一的な価値観に向かわせるという危険な側面が、今、アメリカン・フロンティア精神とあいまって、生きづらさを感じる現代人に対して牙を剥いているのではないでしょうか。

現在、私たちの生きている時代は、リックライダーらが生き、多くの研究者が人間を超えるＡＩの実現に躍起になっていた１９５０年代によく似ています。歴史が繰り返すとするならば、ＡＩブームは一段落し、「人とコンピュータの共生」という考え方に着目する人が増えていくはずです。実際、２０１８年頃から、専門家の間では、ＡＩブームが「幻滅期」に入ったとの指摘がされはじめ、「ＡＩ」を単純につくること、使うことよりも、どのように社会に浸透させていくのか、すなわち「社会実装」という話題に議論が移行しています。この流れは「ＡＩからＩＡへ」と表現されることもあります。ＡＩという、知能を人工的に実現させる試みばかりに着目するのではなく、ＩＡ（Intelligence Amplification 知能増幅）という、人間の知的活動をサポートし、知能を高めていくことに機械を用いるという考え方です。「単純作業をＡＩに任せ、人間は創造的な仕事を」という言い方は、ある意味で、「ＡＩからＩＡへ」という世の中の流れを表しているのかもしれません。

そして、そこで最も重要なのは「ＡＩからＩＡへ」という流れのなかで社会創造を支えているのが「アメリカン・フロンティア精神」という、光と影を併せもつ精神であるということです。それは、誰もが創造性を発揮しうる夢の世界の実現を後押しする一方で、その精神に合致しないものを押しつぶすという危険な側面を伴います。そこまでを理解したうえで、私たちが今、何に着目し、どのように生きていくべきかを、見つめ直す時期に来ています。そのような背景をもつ現代を考えるうえで、「日本」が一つのキーワードになる可能性があります。これは、単に「アメリカン・フロンティア精神」に対比させた精神論的なものではありません。技術のとらえ方や技術そのものについて、そして、技術をどのように社会に位置づけていくかを考えるうえでのヒントを「日本」という視点は与えてくれます。

## 世界と日本――とらえ直されるべき創造性

「人とコンピュータの共生」という思想は、人間が目標を立て、ルーチン化された作業を機械が行うという、人間と機械の明確な役割分担を設定するとともに、人間を、前提なしに、目標を設定できるものと想定していました。研究者であるリックライダーにとって、目標の設定は当然のことであり、単純作業は煩わしいものでした。しかしながら、彼の感じたことは、すべての人にあてはまるわけではありません。

日本武道には、古くから「守破離」という考え方があります。師匠から教わった型を徹底的に守り、他者の型と照らし合わせて研究することができるようになるまで鍛錬を重ねて、はじめて既存の型を破り、最後には既存の型から離れ、自在に技を展開できるようになる、といった考え方です。単純作業の先に創造性がある、とすら解釈できる日本武道の考え方は、情報社会の土台となるリックライダーの思想と、必ずしも、一致しないようにも見えます。これは、リックライダーの時代には、人間と機械の創造性に対する考え方が不十分であったことによるのではないでしょうか。

情報社会では、自ら目標を立て、新しいものを創造していく行為が歓迎されます。その一方で、明確な目標をもたない人に、それをもつことを強要する社会とも解釈できます。しかしながら、明確な目標をもたない人が創造的でないわけではありません。人間が生きていることは、それ自体が創造的な行為です。今、人間の創造性をとらえ直すことができるのであれば、現代の情報社会は、そのよさを失うことなく、新しく生まれ変わる可能性があります。そして、そのヒントは日本文化に見出すことができるのです。

20世紀のフランスの哲学者ロラン・バルトは、独自の考察で日本文化を分析し、西洋文化にない視点を見出しています。たとえば、彼は、著書『表徴の帝国』のなかで、私たち日本人が当たり前のように用いる「箸」の使われ方に、西洋にはない思想があることを指摘しています。西洋の食事文化においてはナイフとフォークが用いられます。狩猟の武器でもあるそれらは、獲物を切断し、手足をばらばらにして突き刺します。一方、箸は、獲物を捕獲するにも、切断するにも非効率的であり、時間効率や省力化のみに焦点を当てるならば、捨て去られるものかもしれません。しかし、箸という存在があるからこそ、私たちは、食べ物を「暴行を加える餌食」とすることなく、さらに、私たち自身を肉をむさぼり食うだけの存在とすることなく「見事な調和をもって変換された物質」とすることができる、とバルトは表現します。箸は、その素材の柔らかさも手伝って、人が赤ん坊の身体に触れるときのような、母性的ともいえる、配慮のゆきわたった力によって、食材を扱います。箸に見出される日本文化の思想をもって情報社会を生きることができるのであれば、人間は、リックライダーの描くような「自ら目標を立て、新しいものを創造していく」ことを強要されることなくとも、情報技術によってつながる人と人とがお互いを理解し、心を通わせ合うことができるようになるかもしれません。そして、バルトはまさに情報社会の問題を指摘するかのように、箸に対する考察をしめくくっています。

わたしたち西洋人の食事の習慣には相もかわらず、槍と刀で武装した狩猟の動作しかないのだが……。

（ロラン・バルト『表徴の帝国』ちくま学芸文庫）

ナイフとフォークのように、切断して効率的に捕食するという考え方は、リックライダーの思想にも見出すことができます。人間は目標を設定し、機械はルーチン化された作業を行う、という役割の分離。その一方で、「守破離」を良しとする日本文化は、単純な型の繰り返しの延長線上に、独自の技を展開し、豊かな創造性を発揮する未来を描きます。これは、コンピュータ科学にもヒントを与えます。

写真のなかにいる馬を認識するという、コンピュータ科学における問題を考えるとき、そもそも「認識とは何なのか」ということを考えることなしに、その問題に対処することはできません。写真を、ナイフとフォークを使って食事を切り分けるようにして、画素に切り分けてしまっては、私たちの心のなかで起こる「そこに馬の親子がいて」「草を食んでいて」「平和そうだなぁ」などという感覚を得ることはできません。感覚は、視覚や聴覚を含め、単に画素情報を変換するだけの情報処理ではありません。今、ここに自分がいるからこそ、その感覚を得ることができます。自分自身の身体を使って、これまで培ってきた経験を通して育った身体感覚によって「感じる」ことは可能になります。人間の感覚とは何か、心とは何か、そして、人間とは何か。日本文化には、近代科学に足りないものを補ってくれる可能性が眠っています。

リックライダーが描いた「人とコンピュータの共生」という姿には、機械はルーチン化された事務作業を、そして人間が問題を発見して解決していくという明確な役割分担がありました。今、リックライダーの思想に対し、現代の人間や機械への理解を反映させると、異なる視点が見えてきます。

近年の科学技術による考察として、人間と機械の得意とするものを表0‐1にまとめます。

機械は、あくまでも「デジタル空間」のなかで行う、デジタルデータの処理を得意とします。とくに、映像や画像などのように、多くの情報が含まれるものについては「ここに馬がいる」など、人間がすでに意味付け（記号付け）を行っているものについては、処理することができます。しかし、人間が記号を与えなければ、映像や画像は「単なる画素の羅列」にすぎず、与えた記号以上の何かを生み出すことはなく、淡々と計算を行うにすぎません。人間が、コンピュータ上のデジタル空間で同じ計算を行えば、その速度も正確さも、コンピュータにまったく及びません。しかし、同じように見える作業であっても、現実世界で行う場合、状況は一変します。コンピュータと現実世界は相性が良くありません。画素の色は常に変化し、見つけたものがノイズに埋もれて消えてしまうこともあります。見たいものが物陰に隠れて一部が見えなくなってしまうことも頻繁に起こります。人間は、そうした状況であっても難なく情報を補完して「そこにいる馬はきっとこのような姿だ」と推測します。現実世界において、目の前の情報から、想像力を働かせ、目的を達成する行為は、人間のほうがはるかに得意なのです。

**表 0-1** 機械と人間の得意とするもの

| | ルーチンワーク（事務作業他） | 創造的な仕事（アート作品の創造他） |
|---|---|---|
| 機械 | デジタル空間における記号情報の処理 | 学習データを用いた創作・定式化された問題の解決 |
| 人間 | 実空間における行為の創出 | 自らの物語による創作・問題の創造 |

以上をまとめ、表０－１には、ルーチンワークにおいて、機械が得意とするものは「デジタル空間における記号情報の処理」、人間が得意とするものは「実空間における行為の創出」と記載しています。

また、１９６０年代には人間は創造的な仕事が得意であり、技術としてのＡＩはそれが苦手であるという認識がありました。現在の科学技術の進歩は、この認識に再考を促しています。たとえば、ゴッホの作品をいくつも学習させたうえでゴッホ風の新しい絵を描画したり、囲碁や将棋で、これまでにないまったく新しい一手を発見したりなど、現在のコンピュータ科学は、機械に創造的な仕事を行うことを可能にしています。しかしながら、創造的な仕事のすべてが機械に置き換えられるというのは誤りであり、人間にこそ許される創造性は、確かに存在します。機械は、人間が学習させたデータを用いた創作や、人間が定式化した問題の解決手段を見出すことは得意とします。その一方で、機械それ自体は、「自分が何をやりたいか」などの目的意識をもっているわけではなく、ただ、与えられた役割を果たす道具にすぎません。したがって、機械に対して、解くべき問題を与えてやる、すなわち「問題の設定」という行為は、人間にのみ許されるものです。人間が「問題の設定」ができるのは、自分自身の人生を生きるなかで、自分が何をなすべきかがわかっているからこそです。それはすなわち、自分の人生という、自らの物語を日々創造し続けているということでもあります。これは、目的が与えられてはじめて動くことができる機械には決して到達することのできない高い壁といえます。

以上をまとめ、表0－1では、創造的な仕事において機械が得意とするのは「学習データを用いた創作」や「定式化された問題の解決」であり、人間が得意とするのは「自らの物語による創作」や「問題の創造」と記載しています。

人間と機械の違い、とくに創造性に関する切り口には、意外と感じるものもあったのではないでしょうか。リックライダーらの時代の人間と機械に対する考え方は、必ずしも間違ったものではありません。しかし、彼らの解釈はまだまだ不十分だったといえます。そして、その背景には、ナイフとフォークで切り分けるように、人間の行動を分離してとらえるものの見方がありました。今、人間をとらえるうえで重要なのは、人間をナイフとフォークで切り分けるように分離してはならないということです。

たとえば、人間の「身体」に対するとらえ方は、それを浮き彫りにするかもしれません。私たち人間の身体は60兆個もの細胞からなります（近年では37兆個という説もあります）。それらの細胞の一つひとつは、自動車などの精密機械を構成する高性能な部品とは大きく異なります。不揃いであり、一度身体から引き離せばすぐに死んでしまう頼りないものです。しかしながら、それらが集まり一体となって動く身体は、環境の変化に柔軟に対応する「巧みさ」をもちます。それは時に、機械にはない豊かな発想力や生き生きとした生命力として表出されます。これは、人間社会においても同様です。一人ひとりが失敗を恐れ、厳密に仕事をこなすことを求められる組織では、心にゆとりをもって仕事をすることができません。一方、一人ひとりの能力が不十分であっても、うまく情報をやり取りし、協力し合って目標を達成する組織であれば、失敗を恐れることなく、また環境の変化にも柔軟に対応していくことができます。

リックライダーの思想は、情報社会という新しい時代を切り拓くことに大きく貢献しました。そのなかでは、大きな目標と能力をもつ個人は、創造性を発揮し、次々に新しいものを生み出し、時代を変えていく力をもちます。しかし、誰もが最初からリックライダーのような大きな目標をもっているわけでなく、現在の情報社会が良しとする生き方に合致しているわけでもありません。情報社会を、誰もが豊かに生きられるようにするには、人間の創造性をとらえ直すことが大きなヒントになります。

## 社会と創造性──今、私たちが向き合うべき視点

社会は今、ＡＩという漠然とした概念への理解が不十分であるがゆえに、混乱を起こしています。

ここで、その背景にあるものをまとめたうえで、それが、情報社会を創造したリックライダーの思想とどのように関わるのかを整理し、私たちが向き合うべき視点について考えていきます。

ＡＩという漠然とした概念が混乱を生じさせるメカニズムを図０‐３にまとめます。この混乱には、実は、ＡＩとは直接の関わりのないものが多く作用しています。昨今盛んに強調されている「ＡＩを使いこなさねばならない」「ＡＩに負けない創造的な人にならなければならない」といった表現が見られるようになった背景には「ＡＩ技術が急成長しているらしい」という話題があります。そして、その話題が注目されるに至った背景には、より複雑な社会的な事情があるのです。

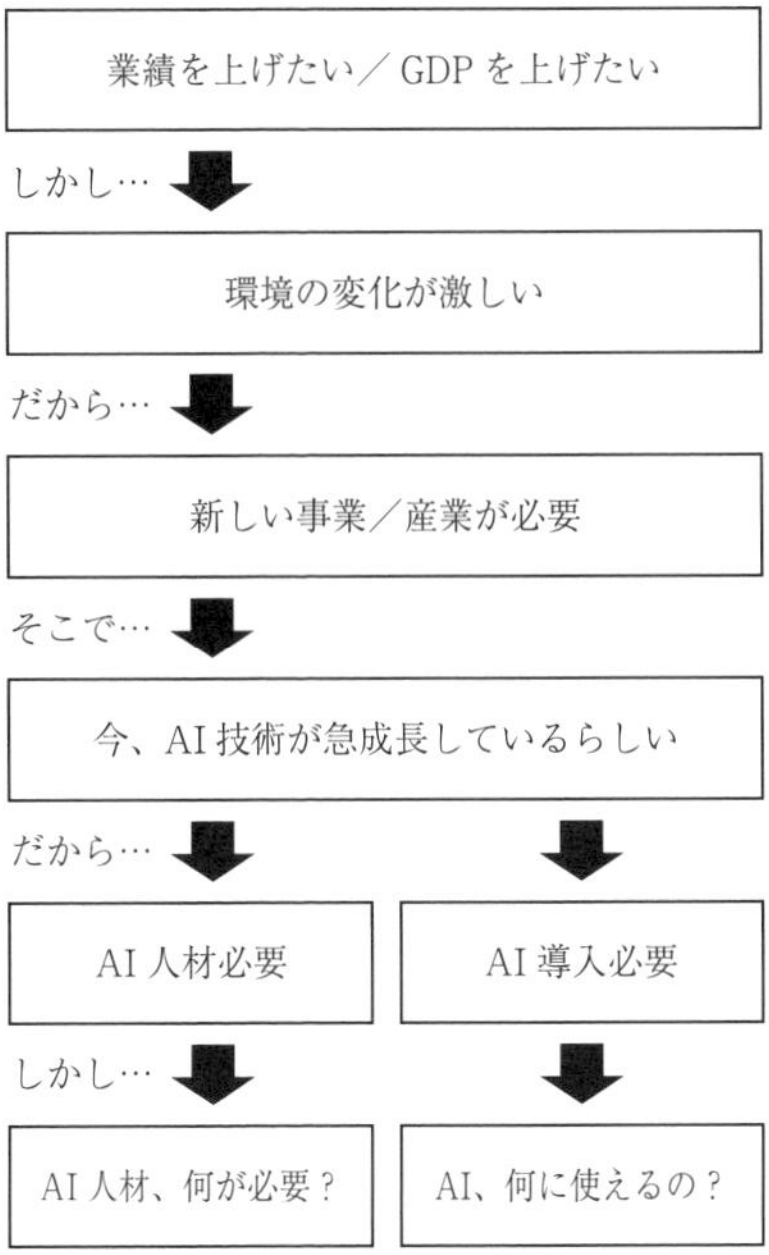

業績を上げたい／GDP を上げたい

しかし…

環境の変化が激しい

だから…

新しい事業／産業が必要

そこで…

今、AI 技術が急成長しているらしい

だから…

AI 人材必要 ｜ AI 導入必要

しかし…

AI 人材、何が必要？ ｜ AI、何に使えるの？

図 **0-3**　AI によって混乱が起こるメカニズム

新しい技術が世の中に誕生する

際、それは、まるで木の実のように、自然の中に勝手に生まれるものではありません。技術が生まれる背景には、それを生み出す研究者がいます。そして、研究者が人間である以上、そこには必ず、技術を生み出す意図があります。つまり、ＡＩ技術なるものが生み出され、急成長している今、そこには、それを生み出す研究者がいて、急成長する動機があるということです。その最たる動機は、研究者の所属する企業の業績の向上や、国のＧＤＰの向上です。政府はＧＤＰを高め、国民の生活水準を向上させていくのが至上命題です。そのためには、大企業をはじめ国の多くの企業の業績を上げなければなりません。一昔前であれば、日本企業は、品質が良いとされる日本製の電気製品などを世界中で売っていたため、それらを製造し、輸出する日本企業に支えられる日本のＧＤＰは上がり、日本の経済は順調に成長していました。ところが昨今、経済・社会環境の変化が著しく、今まで売れていたものが売れなくなるという状況のなか、新しい事業を行わなければ、企業の業績は下がり、それに伴って国民の生活水準はどんどん下がっていってしまいます。そこで政府は今、世界中で技術の点で急成長し、市場も拡大しているといわれる「ＡＩ」なるものに注目し、ＡＩ人材を育て、企業にもＡＩを導入することで企業の業績は上がり、国民の生活水準も上がっていくのではないか、と藁をもつかむ思いで期待しているのです。

実は、この議論には大きな落とし穴が隠されています。それは、そもそも「ＡＩとは何なのか」「ＡＩによって何を実現したいのか」という検討が抜け落ちてしまっているということです。「ＡＩとは何か」がわからなければ、また、その技術を何に利用して、どういう世界をつくっていきたいのかを描いていなければ、そこに必要な「ＡＩ人材」がどのような能力をもった人材なのかがわかりません。そして、それを理解せずに企業に導入しようとしても「何に使えるのか」は見えてきません。それらは、「技術としてのＡＩ」だけから見えてくるものではありません。だからこそ、これに加えて「人間の知能」への理解が必要なのです。

ここで、変化の激しい現代社会において、技術と適切に付き合う流れを、図０‐４にまとめます。この流れは「ＡＩと呼ばれる技術」だけに限ったものではなく、情報技術全般にあてはまるものです。今、リックライダーの思想を思い出してみると、彼は人間に、目標を設定するもの、という役割を与えていました。つまり、人間には世界を創造する力があり、まず、創造したい世界に対する想いがある、ということです。

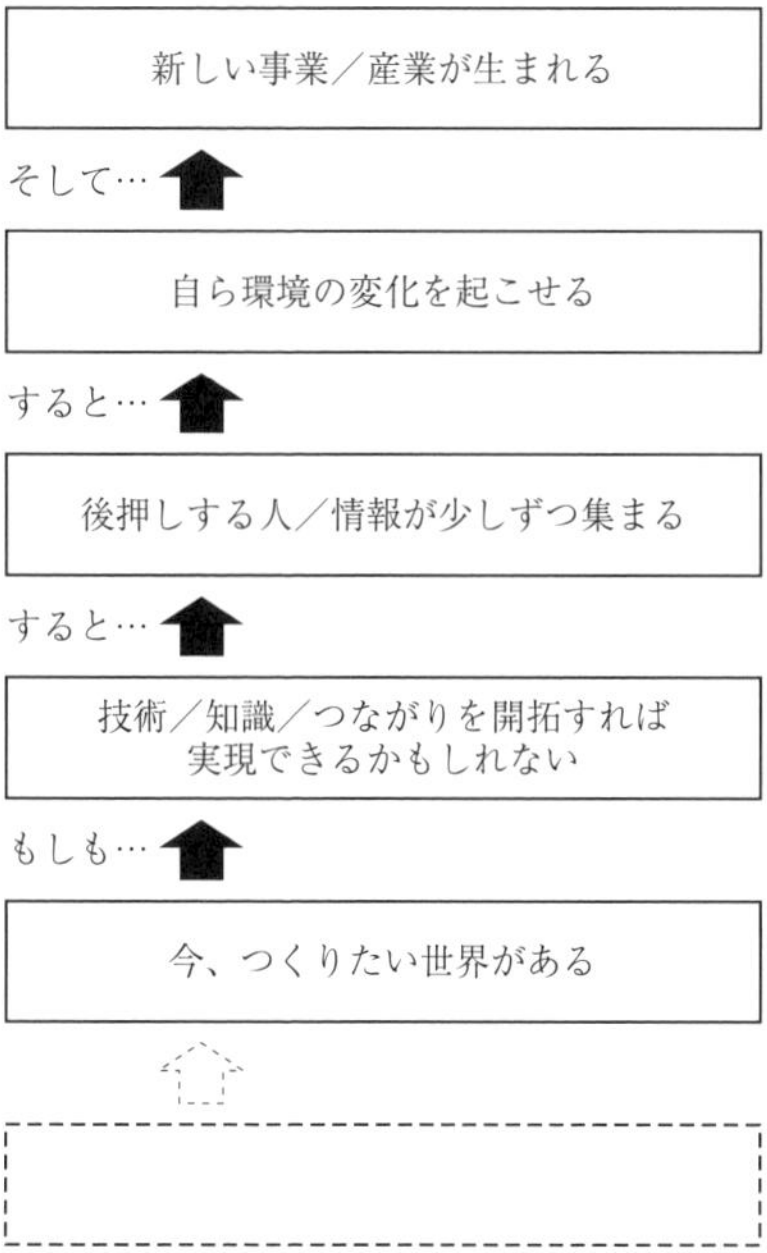

新しい事業／産業が生まれる
↑ そして…
自ら環境の変化を起こせる
↑ すると…
後押しする人／情報が少しずつ集まる
↑ すると…
技術／知識／つながりを開拓すれば実現できるかもしれない
↑ もしも…
今、つくりたい世界がある
↑
（空欄）

図 **0-4** 新しい事業／産業が生まれるメカニズム

自分につくりたい世界、生きたい世界があったとして、それは「ＡＩ」と呼ばれる、何らかのデータを統計的に分析する技術を利用すれば実現できるかもしれませんし、別の技術によって実現できるかもしれません。ひょっとすると、技術の活用ではなく、人と人とのつながりや、知識を集めることで実現できるかもしれません。

そうした、自分自身のつくりたい世界やそれを実現するための何らかの方法を、人に話す、情報として発信するという活動をしていると、それに魅力を感じた人が後押ししてくれます。それは、やがて大きな人の動きとなって、新しい事業に発展していきます。実際、リックライダーは「人とコンピュータの共生」という、自らがつくりたい世界を情報として発信することによって大きな人の流れを生み出し、この情報社会そのものを創造しました。これからの時代を創造するのは、まさに、私たち一人ひとりの「人間」の力によるものです。

変化の激しい現代社会であっても、リックライダーが描いたように、つくりたい世界、生きたい世界に対する想いが明確であれば、それを原動力に、必要な技術を習得し、人とつながりをつくって新しい世界を切り拓いていくことが可能です。その技術が、ひょっとすると「AI」と呼ばれる何らかの技術かもしれないし、そうでないかもしれません。いずれにしても、つくりたい世界があれば、ブームに左右されることはありません。「AI」と呼ばれる技術のブームは、やがては去っていくことでしょう。そのとき「AI人材」になるべく教育を受けた人びとは、道を見失ってしまうかもしれません。しかしながら「つくりたい世界」を描いていくことができさえすれば、その力は時代を超え、社会を変革する力となります。リックライダーの思想を実現していくことができるならば、個の力を後押しする現代社会は追い風として働くでしょう。

では、「つくりたい世界」が明確でない人はどうすればよいのでしょうか。自分には新しい世界を創造するような崇高な理想はもてないと考えている人たちはどうすればよいのでしょうか。「つくりたい世界」をもつという状態に至る前に、何らかのステップが隠れているのでしょうか。それこそが、本書が向き合う大きな問題です。実は、ここに入るのは「学問」という言葉なのですが、それは、大学や大学院の限られた人たちでなければ学べないといった性質のものではなく、私たち人間が、普段何気なく行っていて、当たり前すぎて気づきにくいものでもあります。その詳細は、各章で、ＡＩやそれを取り巻く現代社会への理解を深めたあと、それらを受け、第5章で明らかにします。

本書は、人間とその創造性という視点に重点を置きＡＩを取り巻く技術史について振り返りながら、これからの技術開発や社会がどのように変革していくかを考察し、私たちが創造するべきこれからの社会像を描いていきます。第1章ではＡＩの研究史を振り返ります。研究者たちが何に悩み、どのような技術を開発してきたのか、それらの技術が現代社会の何を築いたのか、それらが生み出した現代社会の課題とは何かを眺めます。第2章では、ＡＩ研究史と対になるネットワーク技術、すなわち情報通信技術の研究史を解説します。ネットワーク社会という人類が初めて経験する新しい環境を統べるルールについて知ることで、現代社会の道標とします。第3章では、ネットワーク社会の問題を改めてまとめ、それらを解決しうる「場」という考え方について解説し、これからの社会を切り拓くヒントとします。第4章では、人間の知能を後押しする技術として注目されている「心の解読」や「身体拡張」などの概念について理解を深め、問題点を指摘し、新たな可能性を示すことで、これから開発される技術との向き合い方について考察します。第5章では、これらの議論を受け、「ＡＩ人材」に留まらない、これからの社会を創造していくうえで土台となる学問、教育、事業創造のあり方についてまとめ、新たな時代に向けての提言とします。

# 1　人工知能の誕生——文明と共に生まれたその萌芽

人間とは何なのか。序章で見てきた通り、近年のＡＩ（人工知能）研究の進展は、私たちに「人間らしさ」の再考を迫っています。人工知能への理解を深めれば深めるほど、人間の能力の奥深さを知ることになります。本章では、人工知能の研究史を古代にまで遡ってとらえ直すことによって、先人たちが人間の能力をどのように理解していたのか、それによって社会をどのように築き上げてきたのかを考察します。

技術としてのＡＩブームは「幻滅期」に入ったといわれる現在にあって、専門家はＡＩに何ができて何ができないか、その本質を理解しながら次の一手に向けて着々と動き出しています。技術の本質を理解したうえで適切に運用していく人と、そうでない人との間には、大きな差が生まれ始めています。概念としての人工知能、そして、技術としてのＡＩとは何なのかを明らかにすることは、人間の知能、そして、人間とは何なのかを明らかにすることにつながります。

人類は、長い歴史のなかで、人間とは何かという大きな謎の解明に挑み続けてきました。近代での「思考する機械」の実現に向けた試み、古代での労働から解放されることを目指す試みに共通するのは、人間の行為を機械に代替させたいという夢だったのではないでしょうか。その試みがどのように結実し、何が明らかになったのかを知ることは、人間とは何かを理解することにつながります。
それでは、古代にまで歴史を遡って物語を始めましょう。

## 自動計算――人工知能の萌芽

はるか昔、狩猟・採集を営んでいた人類は、稲を植えることで食料が得られることを発見しました。稲は、毎年決まった時期に収穫できます。こうして「農耕」という手段を発明した人類は、狩猟・採集という労働から解放されました。そして同時に、収穫ができる未来すら、計算して予測できるようになりました。毎年訪れる季節の移り変わりを記述する「暦」や、それをもとにした時間という概念の発明です。暦が自然現象を予測する基盤となると、たとえば毎年、決まった時期に起こる川の氾濫を計算し、ある程度正確に予測できるようになります。そしてそれが生活を安定させ、やがて社会の形成につながっていきました。

時間という概念の発明と、それによる自然現象の計算・予測は、さまざまに形を変えて広がっていきました。月の位置は、直ちに潮の満ち引きに影響を与え、太陽の11年の活動周期はオーロラなどの自然現象に影響を与えます。天体の動きの予測は、人類にとって時には死活問題となり得る大きな関心事でした。天体の動きなどの未来の予測を「自動計算」によって行う古代ギリシャ時代の機械が見つかっています。この「アンティキティラ島の機械」は直径15センチメートル程度の大きさの歯車式で、古代ローマの沈没船で発見されました。天体の運行の計算を目的とし、時間の経過や天体の動きを非常に高い精度で示していたと見られます。少なくとも3種類のカレンダーで日数を計算し、古代ギリシャ人が4年ごとに開催していたオリンピックの時期を計算するための目盛りもあるそうです。この原理が解明されたのは1990年代に入ってからであり、紀元前につくられたものであるにもかかわらず、18世紀並みの複雑さと正確さを備えていたといいます。

自然現象を計算し、予測することによって、人間社会は大きく変化しました。今では当たり前のように感じられるもののなかにも計算や予測なしには成り立たないことが多くあります。たとえば土地の面積が計算できるようになれば、その土地での収穫量を見積もることができます。隣の村の人口がわかれば、道をつくったときの人の流動が計算できます。計算の恩恵は数知れず、有史以来、人類はあらゆる方面で計算による予測を試みてきました。そして、この計算という考え方こそが、人類を、人間の知能そのものを代替してしまおうという人工知能への試みへと駆り立てました。そして、長い歴史を経て、人類はその限界と可能性に気づき始めます。自然現象を計算して予測していくという試みは、今、人間そのものへの理解につながっています。その直接の流れは、17世紀のドイツで起こった「思考する機械」の実現に向けた試みという形で幕を開け、現代の情報社会の基礎を築きました。それは本来、人間の論理的思考を代替する目的で生まれたものであり、その延長線上に、今、私たちが日々利用しているコンピュータが、そしてAI（人工知能）と呼ばれる技術があります。私たち人間の思考には、論理的なそれと、感性的なそれがあります。

しかしながら、問題は、「思考する機械」に始まり人工知能につながる人類の探究の試みは、論理的な思考に偏った考え方を土台としており、感情的な視点を欠くそれは必ず壁にぶつかってしまうということです。その結果として、過度な期待の後に、それが実現せず幻滅する「ブーム」を繰り返すのが人工知能研究の宿命です。論理的な思考に偏ることの何が問題なのか、それで本当に、人間の思考を、そして知能を代替する機械が実現できないのか、何が実現できて、何に限界があるのかは、当然ながら、やってみるまでは明らかにできません。人類は、長い歴史のなかで、ようやくその限界に気づき始めました。その限界を知るキーワードに「自己矛盾」と「想定外」があります。このキーワードは、人間への理解を超えて、現代社会の問題点をも内包する重要なものです。その意味を知るためにも「思考する機械」に始まる４００年間にわたる研究史を読み解いていく必要があります。

## 思考する機械――コンピュータが人間だった時代

今を遡ること４００年前、欧州社会では、社会を支える重要な仕事が存在しました。大航海時代と呼ばれたその時代、船舶の設計や航海など、社会の基盤ともいえる多くの仕事は、複雑な計算を必要としたのです。現代のようなコンピュータのない当時、すべての計算は人手で行わなければなりません。そんななか、計算を自動化する機械「四則演算計算機」が発明されました。

四則演算計算機は、多くの仕事で行われる計算を自動化し、当時の社会に単なる仕事の効率化以上の価値を与えました。ここに情報社会が到来するはるか以前の時代における社会の中での計算の役割を垣間見られ、仕事とは何か、人間らしさとは何かについての洞察が得られます。

16世紀から17世紀にかけて、大英帝国などの海洋国家と呼ばれた国々にとって、航海を安全に行うことは死活問題であり、複雑な計算が社会を支えていました。当時の革命的な発明の一つに「対数表」や「三角関数表」がありました。これにより、平方根を簡単な計算だけで求められるようになったり、角度や面積の計算を単純化できるようにしたりしました。18世紀の終わりになると、船乗りのための航海表、天文学者のための星表、保険数理士のための生命保険表、建築家のための土木工学数表など、業務ごとに特殊化した「数表」が数多くつくられるようになりました。現代のようなコンピュータのない時代、こうした数表は、すべて人間の手計算でなされました。辞書のような数表を作成する作業は、そのそれぞれが一大プロジェクトであり「コンピュータ」と呼ばれる計算を専門に行う事務職のような人びとによってなされました。職業としての「コンピュータ」は、近代から第二次世界大戦中まで続きました。

こうした時代に計算を自動化する試みが、研究者によってなされました。特筆に値するのは17世紀、ドイツの数学者ゴットフリート・ライプニッツが「思考する機械」を発明したことです。彼は、計算の自動化の枠を超え、人間の論理的思考の代替をも見据え「四則演算計算機」を発明しました。それまで人手で行われていた計算が自動化の道を歩み始めた最初の一歩です。現在の電卓に比べて機能的にはるかに劣るそれは、しかし「計算」という作業を自動的に行う仕組みがなかった当時には、社会の仕組みそのものを変えてしまうような大発明でした。ライプニッツ自身が書いたといわれる記述を見ると、そのインパクトがよくわかります。彼は「計算に従事しているすべての人に望ましい機械が遂にできた」と宣言したうえで、その機械を「会計士、資産管理者、商人、測量士、地理学者、航海士、天文学者などの人びとが、讃えることができる機械」だと説明しています。ライプニッツの四則演算計算機の発明は「どんな曲線でも形でも測定することにより、誤りを正して新しい表にする」ことを可能にしました。平方、立方、その他のべき乗の表、組み合わせ、変分、数列を含む、すべての関数は、四則演算計算機で自動的に計算できるようになりました。これにより、天文学者をはじめとする多くの科学者は、計算の労苦に耐え忍ぶ必要がなくなりました。まさに、計算という「労働」から人類が解放された瞬間といえます。

その後、自動計算に関する研究は進展します。19世紀のイギリスの数学者ジョージ・ブールは、「もし○○ならば××である」という論理的思考を、四則演算と同様の演算によって実現できることを発見します。「論理的推論」と呼ばれるこの方法によって、それまで人間が行っていた論理的思考は、自動計算できるようになりました。そして、1936年、イギリスの数学者アラン・チューリングは、アルゴリズム（計算方法）さえ与えれば、どんな計算も実現できる計算機「チューリング・マシン」を構想し、これを、ハンガリー出身のアメリカの数学者ジョン・フォン・ノイマンらが「ノイマン型の計算機」として実現します。現在のパソコンやスマートフォンをはじめとするコンピュータは、すべてノイマン型の仕組みを基本として動作します。

ライプニッツの発明した「思考する機械」は、人間の思考それ自体が「論理的推論」であるという考え方に基づいていました。だからこそ、人間の思考すべてを機械によって代替できると考えたのです。彼が四則演算計算機を発明した当時、「計算」という労働の機械による代替は、誰もが望んでいたことです。計算には必ず「航海」などの目的があり、計算はその目的を達成するための手段でしかありません。目的が明確であれば、その手段はなるべく省力化したいと考えるのが人間です。手段を省力化し、本来の目的に集中できるようになれば、それは、ゆっくりと熟考する「人間らしい」生活を送ることにもつながります。「計算」という労働から解放されたい、というライプニッツの想いは、事務作業から自由になることを欲したリックライダーのそれに通じるものだったのかもしれません。ところが、ライプニッツの時代には、人間を、計算という労働から解放するための技術を発明し、社会で使われるように改良していくことは容易ではありませんでした。彼の発明は、すぐに社会に浸透し、社会を変えたわけではなかったのです。

## 論理的推論の機械化——200年を要した情報社会の基盤づくり

ライプニッツが四則演算計算機を発明した17世紀からノイマンらがいわゆる「ノイマン型計算機」を開発するに至るまでには3世紀もの歳月が費やされました。この空白の3世紀の間には、何があったのでしょうか。実際のところ、ライプニッツ自身の研究はその後、パトロンが不在になり、彼自身が研究を継続することは難しくなってしまいました。そうはいっても、ライプニッツの四則演算計算機が、人びとが求めているものであれば、やがては実用化に至ったのではないでしょうか。そうでなくとも、論理的推論を考案したジョージ・ブールのような論理学者であれば、当然、ライプニッツの発明品を知っていたはずです。20世紀よりもはるかに前の時代から、情報社会が花開く土壌は整っていたはずです。しかしながら、史実としては、情報社会の到来は20世紀後半を待つ必要がありました。そのように考えると、ライプニッツの研究だけでは、現在、私たちが利用しているような自動計算機に至ることができなかった、と考えるのが妥当です。自動計算機が世に出現するまでに人類が解くべき課題、すなわちライプニッツが遺した宿題とは、一体何だったのでしょうか。その理解を深めることで、現在の情報社会のあまり語られない裏側の姿が浮き彫りになります。

ライプニッツが四則演算計算機を発明してから200年が経過した後、アメリカに自動計算の歴史を塗り替えようとする人物が登場します。当時MIT（Massachusetts Institute of Technology マサチューセッツ工科大学）の副学長だったヴァネヴァー・ブッシュ（15頁）です。ライプニッツの計算機が実用に至らなかった背景を、彼は論文のなかで次のように振り返ります。

> 二世紀前ライプニッツは、近年のキーボードのついた計算機のもつ主要機能の大半を実現した計算機を発明したが、当時は実用にはいたらなかった。経済的状況がこれを許さなかったのである。大量生産時代以前には、計算機の利用で省ける労力よりも、計算機を作るための労力のほうが大きかったのだ。計算機でできることは紙と鉛筆が十分あれば可能だったのである。その上、ライプニッツの計算機は故障しやすく、頼りにならなかっただろう。というのは、その頃、またさらに以後長いあいだにわたって、複雑なものは必ず信頼性が低かったからである。
>
> （西垣通『思想としてのパソコン』NTT出版）

ブッシュは大学生の頃に画期的な研究に着手します。その20世紀初頭、アメリカはまさに、大量生産時代を迎えていました。機械の部品は、精密なものであっても安価で手に入れることができる時代に突入していました。そうした時代に彼は「非常に信頼性が高く、安価で複雑な装置の時代がやってきた以上、ここから何かが出現してくるはず」と予感していたのです。ＭＩＴの教授となった彼は「いくら働いても疲れない人工頭脳の製作」に没頭しました。彼は、自身の研究をアイザック・ニュートンが発見した万有引力の法則を例に次のように説明します。

たとえば、リンゴが木から落ちたとしよう。このリンゴについてわかっていることは、加速度が一定であることだろう。しかしここで、落下物に空気が与える抵抗を含めたらどうだろう。方程式に条件がひとつ加わるだけで、正しく解くのは難しくなる。しかし機械を使えば苦労しない。電気系や機械系のガジェットで方程式の項を表現し、これらの要素を結び付ければ、あとは機械が仕事をやってくれる。

（ジミー・ソニ、ロブ・グッドマン『クロード・シャノン　情報時代を発明した男』筑摩書房）

ブッシュが解こうとしたのは、変化する状況を計算して、未来に起こるであろう現象を予測する「微分方程式」と呼ばれるものです。微分方程式を解くことができれば、自然現象の多くを計算によって予測することができます。それは、微生物やウイルスがどれくらいの速度で増殖し死滅・消滅するのか、放射性ウランが崩壊するのにはどれくらいの時間がかかるのか、磁力はどれくらいの距離まで届くのか、太陽の巨大質量は時空をどれだけ歪めるのか、国の電力供給網がどれだけの電圧に耐えられるのか、海岸線の形状は潮汐にどのように影響を及ぼすのか、など世の中には計算して予測すべき自然現象は数多くありました。

ブッシュの開発した微分方程式を解く機械「微分解析機」は、それまで開発されてきた他の微分解析機に比べ、汎用性の高さが特徴でした。それまでの微分解析機が、潮汐など単一の問題を解くことに特化していたのに対して、ブッシュのそれは、原理的にはどんな微分方程式でも汎用的に解くことができました。彼の言葉を拝借して説明するならば、彼の微分解析機の原理は「電気系や機械系のガジェットで方程式の項を表現し、これらの要素を結び付け」るという方法を採用していたため、方程式を電気や機械の「部品」に置き換えて問題を解くことができました。ブッシュは、ライプニッツから連綿と受け継がれてきた自動計算機を「汎用機械」として生まれ変わらせたのです。しかし、その完成後、すぐに彼は、その汎用機械の抱える大きな問題に直面します。その問題は、ブッシュが大学院生としてクロード・シャノンを迎えたそのときに、ピークに達していました。

シャノンがケンブリッジにやって来る前年の1935年には、微分解析機は限界に突き当たっていた。この奇妙な仕掛けの機械は、新しい方程式に取り組むたびに解体し、組み立て直さなければならなかったのだ。ブッシュのチームは実際のところ、一台の機械を製作したとは言えない。新たな問題が発生するたびに分解して解を求めたのだから、たくさんの機械をずらりと並べているようなものだった。用途は広くても、これでは効率が犠牲にされる。微分解析機は、少なくとも理論上は人間の頭で可能な計算を効率的に行なうことが使命のはずだ。このようなボトルネックが繰り返されるようでは、存在理由そのものが脅かされてしまう。

（同前）

方程式を「部品」に置き換えるというアイデアだけを耳にすると、シンプルな作業で複雑な微分方程式を解くことができる魅力的な方法に聞こえるかもしれません。しかし、実際の作業は、部屋いっぱいに広がる巨大な微分解析機に張り巡らされた回路の配線を一つひとつ解体し、組み立て直さなければなりません。それも一つでも配線を誤ると、うまく動作することはないのです。

この問題に直面した大学院生のシャノンは、出身のミシガン大学の哲学の授業で学んだ理論を思い出しました。その授業は、「論理的推論」を考案したジョージ・ブール(39頁)によるものでした。ブールは、自身の考案した考え方を『The laws of thought(思考の法則)』という著書に体系化しました。前述した通り、彼の考え方によると、論理的推論は計算に置き換えることができます。たとえば「すべての馬は哺乳類であり、すべての哺乳類が脊椎動物であるならば、すべての馬は脊椎動物である」といった三段論法に代表されるような、論理的に結論を導く論法です。この論理的推論によると、たとえば「馬または牛」は「馬+牛」のように和算で、「馬であってかつ雌であるもの」は「馬×雌」のように積算で表現することによって、計算によって結論を導くことができます。

シャノンが大学院生であった1930年代当時、論理学は機械的な計算にたとえられることはあっても、実際に機械が論理的推論を計算として実行できるとは思われていませんでした。そもそも、厳密な論理学と、電気回路の設計の両方に精通している人間は、世界でも一握りしか存在しなかったのです。恵まれたバックグラウンドと深い洞察力をもつシャノンは、ブッシュの微分解析機を目の前にして、ブールの理論を実践できないかと考えました。そこで生まれたのが、史上最も重要で最も有名な修士論文と呼ばれる「A Symbolic Analysis of Relay and Switching Circuits（継電器と開閉回路の記号的解析）」です。この論文は、論理的推論を電気回路によって実現する方法について解説したものであり、これまでブッシュをはじめとする先人が「配線」によって実現していた計算を「プログラム」に置き換えることを可能にしました。つまり、どのような微分方程式であれ、アルゴリズム（計算方法）を与えることによって、それをプログラムの形で電気回路に計算させることが可能となったのです。

シャノンの発明の重要な点は、これまで問題ごとに電気回路の「配線」を変更する必要があったことを「プログラム」によって置き換えられるようになったことであり、プログラムを書くことさえできれば、すなわちアルゴリズムさえあれば、何でも計算できるようになったということです。アルゴリズムさえあれば何でも計算できる、ということは、人間の論理的思考すべてをアルゴリズムにできれば、論理的思考すべてを機械によって置き換えることができることになります。これは、人間を機械に代替させるという発想そのものであり、昨今の「人間の仕事をＡＩで代替させる」という表現にそのまま通じる考え方です。実際、20世紀前半の研究者たちは、シャノンの発明以降「万能計算マシン」の研究に乗り出します。そこで研究者たちがぶつかった壁を正しく理解することができれば「人間の仕事をＡＩに」という議論に陥ることなく、人間とは何なのかについての理解を深めていくことができるようになります。

## 人工知能——万能計算マシンという人類の夢

シャノンのプログラムによって電気回路を制御し、アルゴリズムさえあれば、どんなものでも計算することを可能にする発明は、論理的思考すべてを機械によって代替することができる可能性を示唆します。それだけでなく、当時の研究者は、この世界の森羅万象を計算する「万能計算マシン」の可能性をも連想しました。「万能計算マシン」が実現すれば、人間の仕事は当然のように機械に置き換えられるはずです。しかし、当時の研究者たちは、間もなくそれが不可能であることに気づきます。「人間の仕事をＡＩに」の議論を行うにあたっては、当時の研究者たちが「万能計算マシン」という大きな夢に向かうなかで何を学んだかを知っておくことが不可欠です。

さて、人工知能研究の最大の難問は「知能とは何か」です。科学技術がこれほどまでに発展した現代社会においても、脳とは何か、知能とは何かという問題には、世界中の誰も正しい答えを有していません。しかしながら「知能とは何か」を仮にでも設定しなければ、知能を人工的に実現することを目的とする人工知能研究を進めることはできません。だからこそ、研究者一人ひとりが「知能とは何か」に関する思想をもっています。ここからは、そうした歴史上に誕生した人工知能に関する思想を、その研究とともに紹介します。

すでに紹介した通り、人工知能の思想史の創始者として、17世紀のライプニッツが挙げられます。彼は「人間の思考」の自動化を「四則演算」によって実現しようとしました。すなわち、人間の知能を「論理的思考」ととらえ、「演算の自動化」によって代替できるものと考えたのです。

ライプニッツの思想はその後、19世紀のブールによって「論理演算」に拡張されます。ブールは、人間の論理的思考を、四則演算と同じように自動計算することができる方法に体系化しました。論理的思考を自動計算することができるならば、この世界の森羅万象をも自動計算し、あらゆる未来をも予測できるかもしれません。それは、あらゆる数学的な定理を証明する「数学的万能マシン」の開発の可能性をほのめかすものであり、それに基づいてあらゆる自然法則を証明する「科学的万能マシン」の、そして社会法則を証明する「普遍的万能マシン」の実現が、やがては可能になることを期待させるものです。当時の数学者には、こうした世界の実現を本気で目指す者が少なくありませんでした。

1900年、ドイツの数学者ダフィット・ヒルベルトは、国際数学者会議の基調講演で、のちに「ヒルベルト・プログラム」と呼ばれる数学に関する難問に挑む研究プロジェクトの立ち上げを宣言します。「すべての明確な数学的問題は、一つの正確な解法で解くことができる」。この正確な解法で解くことこそが、まさに「数学的万能マシン」の実現であり、この世界の森羅万象の「自動計算」を目指すものに他なりません。しかしながら、このプロジェクトは、ひとりの数学者でもある哲学者によって打ち砕かれます。イギリスの論理学者で数学者であるバートランド・ラッセルが、論理演算には「矛盾(パラドックス)」が内包され得る、という盲点を突いたのです。

「「クレタ人は嘘つき」だとクレタ人は言った」

一見、単なる言葉遊びにも見えるこの一文は「自己言及のパラドックス」といわれ、論理学において重要な概念である「自己矛盾」を内包しています。「クレタ人は嘘つき」と言ったクレタ人が本当に嘘つきだったと仮定すると、彼は嘘つきなのだから、彼の言った台詞は嘘である必要があり「クレタ人は嘘つきではない」ことになります。しかしながら、そうすると、このクレタ人は「クレタ人は嘘つき」という嘘をついたことになり、このクレタ人は嘘つきということになります。つまり、彼は、嘘つきであるとしても、嘘つきでないとしても、矛盾が生じてしまうということになるのです。これ自体は言葉遊びのようなものであり、私たちの生活には無関係のもののように感じられるかもしれません。しかしながら、ラッセルの指摘のあと、オーストリア出身の数学者クルト・ゲーデルが、数学にも同様の構造が含まれることを「不完全性定理」によって証明しました。すなわち、数学体系を用いて、論理的に「推論」する仕組みそのものが「不完全」であることを証明したのです。このことによって、ヒルベルトの夢は実現できないということが、論理的に証明されてしまいました。

実は、論理演算が自己矛盾を内包するという問題は、現代の情報社会とも無関係ではありません。たとえば、あるセンサーが壊れて誤作動を起こしてしまったとします。風呂の温度がある値以上になると検知する温度センサーを想定してみましょう。この温度センサーが壊れてしまうと、いつまで経っても風呂の水を温める制御を終えることができず、水が沸騰してもなお、沸かし続けることになってしまいます。そのような状況になってしまうと困るので、温度センサーが壊れているかどうかをチェックする仕組みが必要になります。ここに「クレタ人」の問題と同じ「自己矛盾」が発生します。温度センサーが壊れているかどうかをチェックする仕組みを、仮に「温度センサー・チェックセンサー」と呼びましょう。温度センサー・チェックセンサーが正常に動作する場合は、温度センサーが壊れていた場合に「壊れている」といい、そうでない場合に「壊れていない」といいます。しかし、温度センサー・チェックセンサーが壊れている場合、温度センサーが壊れていなくても「壊れている」というかもしれず、また、温度センサーが壊れているときに「壊れていない」というかもしれません。温度センサーと、温度センサー・チェックセンサーだけでは、結論を導くことができないのです。この問題を100パーセント解消するには、温度センサー・チェックセンサーが壊れているかをチェックする温度センサー・チェックセンサーを準備し、それをさらに壊れているかどうかをチェックする温度センサー・チェックセンサー・チェックセンサーを準備し、さらに……という具合に、無限のチェック機構が必要になります。実際に動作しているシステムであってもこの問題は避けられません。現実には、システムの重要度に応じてチェック機構を何重にまで用意する必要があるか、それでも誤作動(矛盾する動作)が発生する際に、いち早く人間が対処できるようにするにはどうすればよいかを前もって決めたうえで、システムを開発していくことになります。

「人間の仕事をＡＩに」という安易な議論では、論理演算が自己矛盾を内包するという問題を無視していることがほとんどです。論理演算の土台にする以上、どのように優れたシステムを開発しても、自己矛盾の問題から逃れることはできません。あらゆるシステムは、人間の手を完全に離れることはできず、それが単純作業に近いものであったとしても、100パーセントの自動化を実現することはできないのです。残念なことに、ラッセルが発見し、ゲーデルが体系化した論理演算の限界は、その後「人工知能」を研究する人びとすべてに伝わったわけではありませんでした。そこで「楽観主義者」と呼ばれる人びとが登場します。ヒルベルトらの学びを受け取らなかった「楽観主義者」らは、同じ失敗を繰り返します。もちろん、彼らの試みすべてが無駄だったわけではなく、彼らもまた、現代に続く道を開拓します。

ここからは、「楽観主義者」らの歩んだ道をたどりながら、現代の情報社会の成り立ちについての理解を深めていきましょう。

## 人工知能とニューラルネットワーク

1956年、電子計算機が世に誕生したばかりの頃、アメリカのダートマス大学で「ダートマス会議」と呼ばれる歴史的な国際学会が開催されました。「人工知能（Artificial Intelligence）」という言葉が誕生したのはこのときです。この会議では、人間の知能を機械によって実現するという大きな目標に向け、さまざまな議題が論じられました。機械が言語を使うことができるようにする方法、機械上での抽象化と概念の形成、人間にしか解けない問題を機械で解く方法、機械が自分自身を改善する方法など、人工知能という概念に関する議論が行われました。当時、ヒルベルトらの知見は知識としては知られていた一方、論理演算の限界が問題になるまでは技術が追い付いておらず、実際に技術開発を行っている研究者のなかには、たとえ目の前にある技術は稚拙であっても、それらが進歩していけば問題は解決されるのではないか、という楽観的な感覚もありました。そのような時代を背景に、人間を超える人工知能の実現を夢見る「楽観主義者」が数多く登場します。彼らの歩んできた道が、どのように現代に続いているかに着目しながら、彼らの試行錯誤を追っていきましょう。

## 楽観主義──AIブームを牽引した思想

10年以内にデジタルコンピュータはチェスの世界チャンピオンに勝つ
10年以内にデジタルコンピュータは新しい重要な数学の定理を発見し証明する
（ハーバート・サイモンとアレン・ニューウェル、1958）

20年以内に人間ができることは何でも機械でできるようになるだろう
（ハーバート・サイモン、1965）

一世代のうちに（中略）人工知能を生み出す問題のほとんどは解決されるだろう
（マーヴィン・ミンスキー、1967）

3年から8年の間に、平均的な人間の一般的知能を備えた機械が登場するだろう
（マーヴィン・ミンスキー、1970）

楽観主義者たちは、人間の知能に関する理解を重視する人びとと、論争を繰り返しました。今、私

たちは、彼らの楽観的な予想のなかで「チェスの世界チャンピオンに勝つ」を除くすべてが、未だに実現していないという現実を知っています。楽観的な思想が現実にならないことに直面した当時のコンピュータ科学者たちは、いくつかの大きな派閥に分かれ、時には協力し合い、時には論争を繰り返しながら、それぞれの研究を深めていきます。アメリカを主な舞台とするコンピュータ科学者たちの論争は、大雑把に分けると楽観主義者とそれを批判する人たちとの対立でした。「人とコンピュータの共生」を提唱したリックライダーも、論争のなかで楽観主義者を批判する論者の一人でした。

楽観主義者は、さらに二つの派閥に分かれました。人工知能をどのように実現するのかという点から、脳の構造をなるべく忠実に再現すべきとし「ニューラルネットワーク」の開発を推進する立場と、脳の構造を必ずしも再現しなくとも人工知能の実現は可能であるとする立場です。脳の構造を再現する必要はないとする立場の人びとの合言葉は「空を飛ぶのに鳥を真似る必要はない」でした。人間の知能を人工的に実現するのに、必ずしも脳の構造を理解する必要はありません。彼らは、人工知能を実現するいくつかのルールをプログラムによって記述する「ルールベース（推論ベース）」という方法を研究しました。ルールベースは「想定通り」の状況ではうまく機能する一方で、少しでも「想定外」があるとうまくいきません。たとえば二足歩行ロボットは、右足を動かし、次に左足を動かす際に、足元が想定と少しでも異なり、小石の一つでもあろうものなら簡単に転んでしまうのです。

これまでに生じたＡＩブームは、まずニューラルネットワークを批判する立場の楽観主義者が火をつけ、その限界をニューラルネットワークが破ることで、過度な期待が生まれ、大きくなりすぎた期待が裏切られて人工知能に失望する「冬の時代」と呼ばれる時期を迎える、というパターンを見出すことができます。ここからは、脳の構造を再現した（脳を模した）ものといわれるニューラルネットワークについて概説します。

## ニューラルネットワーク——脳を模すという思想とその真実

ニューラルネットワークの起源は、人工知能やコンピュータ科学とは異なり、いわゆる「脳科学」の研究の原点に重なるものです。ニューラルネットワークにおいては、脳を構成する神経細胞（図1－1）に関して四つの重要な研究があります。

第1の研究は、18世紀のイタリアの解剖学者ルイージ・ガルヴァーニによる神経細胞の発見です。ガルヴァーニは、カエルの脚につながる脊髄の神経に静電気を流すことによって、その脚が収縮することを発見しました。これにより、私たち動物の身体は「神経」によって動かされており、神経は、電気信号によって動かされているということがわかったのです。

次に重要なのは、1952年にイギリスの生理学者であるアラン・ロイド・ホジキンと、アンドリュー・フィールディング・ハクスリーによる、ヤリイカの神経細胞を用いた研究です。ホジキンとハクスリーは、神経細胞が「イオンチャネル」というイオン（電荷を帯びた粒子）を授受する出入口を開閉させることで、電気の送受信を行っていることを発見するとともに、神経細胞の動きを電気回路として表現することに成功しました。神経細胞の性質がわかったという意味で、生理学的に重要なだけではありません。その動きが表現できるということは、神経細胞の挙動を人工的に、忠実に再現できるという意味でもあり、人間の脳を模すニューラルネットワークへの扉を開く重要な研究です。彼らの

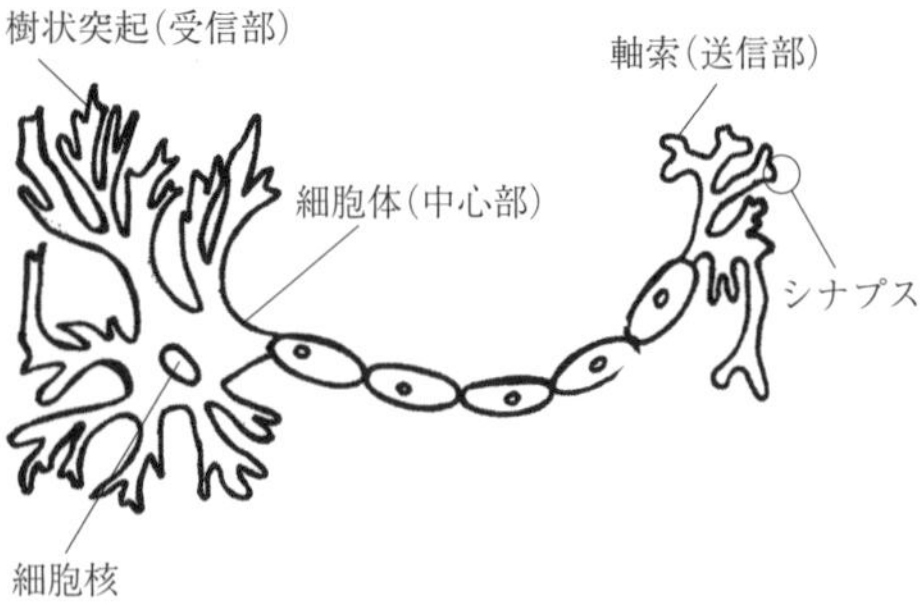

図 **1-1**　神経細胞の構造

研究により、神経細胞に電気信号が流入することによって電圧が急激に上昇する「発火」という現象が起こる仕組みもわかってきました。

さて、ニューラルネットワーク研究において重要な第3の研究は、カナダの心理学者ドナルド・ヘッブによる、神経細胞が記憶を学習する仕組みの提唱です。これは「ヘッブ則」と呼ばれる仮説です。二つの神経細胞が同時に「発火」する際、それらの細胞の間で「結合」が強まるという現象が発見されました。「シナプス増強」と呼ばれるこの現象を受け、ヘッブは、シナプス増強こそが脳内で「記憶(学習)」が形成される鍵であると考えました。シナプス増強は、生理学的な発見であり、それによって脳内で記憶が形成されるということは、あくまでヘッブによる仮説にすぎません。しかし、この仮説こそが、コンピュータが記憶を学習する仕組みでありニューラルネットワークの中核を担います。すなわち、ニューラルネットワークは、必ずしも脳内で行われている記憶の仕組みと同じではなく、あくまでもヘッブの仮説を土台としてつくられたものなのです。

ニューラルネットワーク研究における第4の重要な研究は、アメリカのコンピュータ科学者であり、心理学者でもあるフランク・ローゼンブラットによるものです。ローゼンブラットは、1957年に「パーセプトロン」と呼ばれる計算方法を発明します。これがヘッブ則を用いて記憶を学習する仕組みです。

パーセプトロンを用いたニューラルネットワークの「学習」の仕組みを、ごくごく単純な例を用いて概念的に説明します。「みかん」と「りんご」と「いちご」という三つの果物を学習するニューラルネットワークをつくったとします。その手順を図1－2に示します。まず、（a）のように「みかん」と「りんご」と「いちご」に対応する「細胞（ニューロン）」を用意し、それぞれを、みかんの

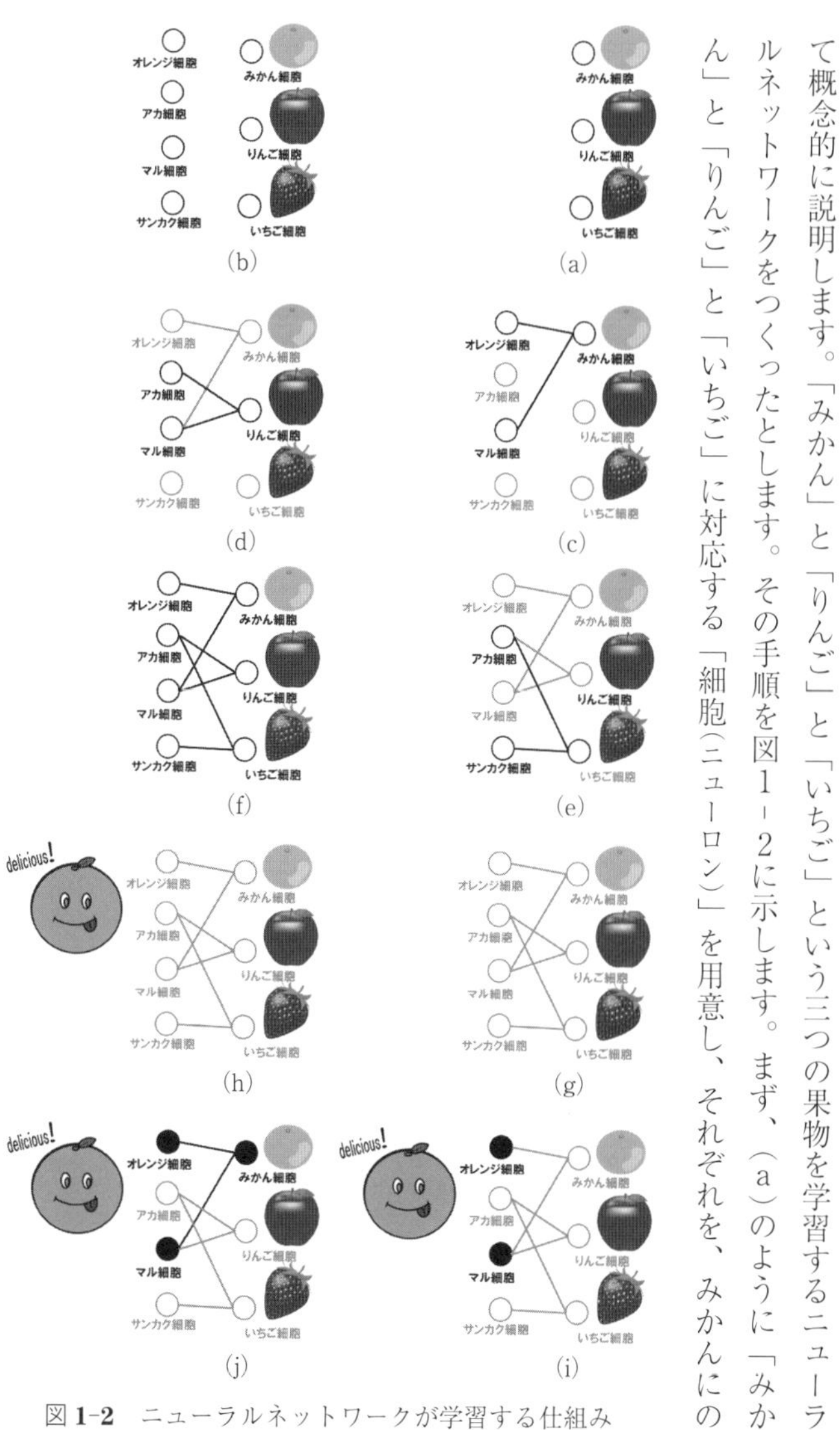


図 **1-2**　ニューラルネットワークが学習する仕組み

み反応する細胞という意味で「みかん細胞」、同様に「りんご細胞」「いちご細胞」と表現することにします。そして、このいずれかの細胞が発火すれば、その果物が「認識された」と理解することにします。ニューラルネットワークに「みかん」を見せて「みかん細胞」が発火するとすれば、そのニューラルネットワークは「みかんを学習した」と考えるのです。

さて、それぞれの果物の細胞を用意した後は、（b）のように、それぞれの果物の特徴を表す細胞を用意します。「みかん」と「りんご」と「いちご」を認識したいわけですから、「色」と「形」があれば十分でしょう。オレンジ色の特徴を示す「オレンジ細胞」と、赤色の特徴を示す「アカ細胞」と、まるい形を示す「マル細胞」と、三角形の特徴を示す「サンカク細胞」をそれぞれ用意します。実際のみかん、りんご、いちごの色や形はもっと複雑ですが、説明のために単純な細胞を用意することとします。

その後は、いよいよ「学習」の段階です。まずはみかんを学習させましょう。（c）のように、みかんの特徴を示す「オレンジ細胞」「マル細胞」のそれぞれと「みかん細胞」をつなぎます。同様にりんごを学習するときには、（d）のように、りんごの特徴を示す「アカ細胞」「マル細胞」のそれぞれと「りんご細胞」をつなぎます。そして「いちご細胞」に対しては、（e）のように、いちごの特徴を示す「アカ細胞」と「サンカク細胞」をそれぞれつなぎます。以上で、（f）のように、ニューラルネットワークの学習は完了です。

こうして学習し終わったニューラルネットワークに、実際にみかんを見せて、「みかんの認識」ができるかどうかを見ていきましょう。（g）のような状態のニューラルネットワークに対し、（h）のように「みかん」が入力されたとします。すると、このみかんは「オレンジ色」という特徴と「マル」という特徴をもっているので、(i)のように「オレンジ細胞」と「マル細胞」が発火します。そうすることで、(j)のように「みかん細胞」が発火し、確かに、みかんを見せて「みかんの認識」が成功しました。

ニューラルネットワークによる「学習」は、このように、学習したいものをネットワークに記憶させる仕組みなのです。たったこれだけといえばこれだけなのですが、それでも「顔」と「顔ではないもの」を学習させることで、スマートフォンに内蔵されている「顔認識」が実現できたり、「文字」や「指紋」が認識できたり、多種多様な応用がなされました。画像の学習・認識の他にも、二足歩行ロボットの足を上げる際、どの関節をどの程度動かせばよいのかなどのパラメータの学習などの用途にも用いられるようになりました。必要なパラメータを過去のデータを使って学習させることで、完全に同じ環境でなくとも動くロボットが開発できるようになったのです。

このように、ニューラルネットワークは、データを学習できる仕組みから注目が集まりましたが、徐々にその人気は廃れていくことになります。ニューラルネットワークは、いうなれば、ネットワーク構造のなかに記憶を埋め込む仕組みです。りんごの絵とみかんの絵のそれぞれの特徴が最もよく分けられるよう、ネットワーク構造を組み替えることで、それぞれの絵に対する境界線を見出す仕組みです。このため、そのネットワーク構造は、人間が分析するにはあまりに複雑です。データを学習した際に、中で何が起こっているのかが不明瞭なため、不具合が起きた際に、何が原因か、どのようにすれば改善できるのかがわからないことが問題となったのです。

## 冬の時代——新しいブームを迎えるまで

ニューラルネットワークの人気が下火になると、代わって確率的にデータを扱う手法が主流になります。コンピュータの性能の向上とあいまって、1990年代にはデータを統計モデルによって分析し、確率的な判断・認識を行う手法が主流になり、画像や音声のパターン認識、自然言語処理、音声合成などの工学応用が花開きます。ニューラルネットワークのネットワーク構造のなかにデータを埋め込む代わりに、確率的に「生起確率の高い」値を、データを学習することによって推定する「ベイズ推定」と呼ばれる手法などが好んで用いられるようになりました。

90年代にはまた、文字認識や指紋認証など、限られた対象を学習して認識することが盛んに研究されましたが、2000年代に入ると、より一般的な写真に含まれる物体の認識や、シーンの意味理解などを目標にした「コンピュータビジョン」などの分野が盛んになりました。対象を限定しない、人間のような柔軟な認識は、まだまだ難しいということはわかっていました。しかし、世界中の研究者たちは「問題を設定し、その問題がどれだけ正確に解けたかを評価するデータを用意し、データをどれほど正確に解いたかを世界中の研究者で競うことで、より良いプログラムが開発できる」というスローガンのもと、さまざまなデータベースによるコンテストが実施されるようになりました。顔認識の精度を評価するアメリカ国立標準技術研究所(NIST)の世界顔認証テスト(FRVT)や、自動運転レースを競うアメリカ国防高等研究計画局(DARPA)のDARPAグランド・チャレンジなど、2000年代には数多くのコンテストが開催され、世界中の研究者による切磋琢磨が行われるとともに、そこで公開されるデータベースを利用することで、世界中で研究開発が加速することとなりました。こうした世界的なコンテストやデータベースといった環境の整備が、その後、再び起こるニューラルネットワークブームの素地をつくっていきました。

## 深層学習――AIブームの火付け役

昨今の「AIブーム」の火付け役となった「深層学習(ディープラーニング)」。この言葉自体は最近発明されましたが、その考え方は1979年の日本に遡ります。当時、NHK放送科学基礎研究所の主任研究員であった福島邦彦は「ネオコグニトロン」と呼ばれるニューラルネットワークを考案しました。これは、ニューラルネットワークを多くの階層によって形成するものです。この、多くの階層によって形成するというアイデアは、工学的なニューラルネットワークの研究としては画期的でした。このアイデアを、先のみかんの認識の例を使って説明するならば、みかんを認識するために、みかんの特徴を表現する際に用いた「マル細胞」などの特徴を示す細胞の階層を多層化し、より大きな特徴と小さな特徴など、多様な特徴を一度に表現できるようになり、多くのみかんの画像を学習させることによって、それらに共通する特徴を自動的に抽出できるようになったのです。もちろん、みかんを認識する程度であれば「色と形を表現すればよいではないか」と感じてしまうかもしれません。しかし、ニューラルネットワークが学習するものは、必ずしも単純な特徴をもつものではありません。手書き文字や人の顔などを、高い精度で認識させるためには、人間にもわからない複雑な特徴を表現する必要があります。さまざまな物体に対し、どのような特徴を表現すればよいかを、人間が与えることなく、ニューラルネットワークが自動的に考えてくれるというのは画期的なことでした。

さらに興味深いことに、福島の設計したネオコグニトロンは、当時の脳研究に関する知見、すなわち「事実」を、工学的に応用することでつくられたニューラルネットワークでもあったのです。これについて知るために、まずは、脳がどのようにして「みかん」などの形を認識するのかを知る必要があります。

脳の神経細胞ネットワークのうち、視覚システムの入口である目の網膜には、「みかん」などの情報は、まずは色も形もない「光」として、目に飛び込んできます。そして、目に飛び込んできた光は、光の強さと色を認識する「視細胞」によってキャッチ(受容)されます。「視細胞」は規則正しく並んでおり、まるでデジタル画像の「素子(ピクセル)」のように、「点」として、目に飛び込んできた像を表現します。このときは、まだ「みかん」は「点」として表現されているだけで、みかんを表す「点」と、そうでないものを表す「点」との間に区別はなく、私たちは「みかん」を見ているということがわからないどころか、どの「点」が何を表しているのか、何もわからないのです。「点」が区別されるのは、この次の段階です。「点」としてとらえられた情報は「神経節細胞」という細胞に伝達されることによって、はじめて「領域」と「境界」の関係が見出されます。ある一つの物体の「領域」と、それ以外の領域との「境界」を見つけ出されるのです。すなわち「みかん」を表す領域がどこからどこまでなのかを、このときはじめて知ることができるのです。この働きは、神経節細胞のもつ2種類の受容野である「オン中心型」と「オフ中心型」と呼ばれる二つの基本型によって実現されます。オン中心型が「領域」を、オフ中心型が「境界」を、それぞれ見つけ出す働きを担うのです。

この「領域」と「境界」を見出す働きを、何層にも重ねることで、すなわち、1枚の画像に対して何度も行うことによって、画像内に含まれる、目立つ「形状」が少しずつ強調されてくるのです。こうした強調処理を前半に行ったうえで、画像を分類していく方法がCNN（コンボリューショナル・ニューラルネットワーク）と呼ばれるものであり、何層もの深い階層を用いて情報を学習することから「ディープラーニング（深層学習）」と呼ばれています。

CNNの大きな特徴は、脳の視覚情報処理の重要な要素である「領域」と「境界」の抽出を、何層もの重なりをもったニューラルネットワークによって実行する点にあるといえます。具体的には、「領域」と「境界」という2種類の情報を、「畳み込みフィルター」と「プーリング（圧縮）層」といわれる二つの仕組みによって抽出します。脳が実現しているとして知られている「領域」と「境界」の抽出という情報処理を、工学的に実行する仕組みであるといえます。

まず、「畳み込みフィルター」は「境界」を見出す処理を実行します。そして「プーリング（圧縮）層」は、「領域」を見出す処理を実行する。これらの処理により、写真などの与えた画像に映されている対象の、特徴的な情報のみを抽出することができます。そして、それらの処理を行った後、先の「パーセプトロン」のような処理を行うことで、さまざまな物体を分類して学習していきます。

このようにCNNは、与えられた画像の「領域」と「境界」を強調したうえで画像を分類していくことを可能にしたニューラルネットワークであり「みかんの特徴は色と形でいうと……」というように、人間が、物体の特徴を明示的に教えることなく、データの学習ができます。しかし、画像中にどういう人物がいて、何をしているから、今、彼らはスポーツを行っているのだな、などという人間のような「認識」ができるわけではありません。ＣＮＮの特徴について理解を深めるために、一つの有名な研究を紹介します。

２０１２年６月、グーグル社の発表した１本の論文をきっかけに「Google の研究開発によってコンピュータが猫を認識できるようになった」という話題があちこちで飛び交うようになりました。グーグル社は、YouTube にアップロードされている動画から、ランダムに取り出した２００×２００ピクセルサイズの画像を１０００万枚用意し、ニューラルネットワークに学習させました。これらの画像の数パーセントには、猫が含まれるものがありました。それらの学習を、１０００台のコンピュータで３日間かけて行ったところ、「人間の顔」「猫の顔」「人間の体」の写真に反応するニューロン（神経細胞）がつくられました。この現象をもって、多くのニュースメディアは「コンピュータが猫を認識できるようになった」と報道しました。ここからは「ニューロンがつくられた」「猫を認識できるようになった」ということの意味について考察していきます。

たとえば「人間の顔」が映された画像に最も敏感に反応するニューロンがあったとします。このニューロンが、もしも他の画像に反応することがなかったとすると、それは「人間の顔」にのみ反応するニューロンであるとして「人間の顔ニューロン」と呼びます。グーグル社の研究によれば、こうした「人間の顔ニューロン」や、「猫の顔」や「人間の体」にのみ反応するニューロンが、YouTube にアップロードされている動画をランダムに学習させていった結果として、ネットワーク上につくられたというのです。こうしてつくられた「人間の顔ニューロン」が、強く反応した画像を並べたのが図

図 **1-3**　人間の顔ニューロンが強く反応した画像群

1-3です。実際に、図に示す通り「人間の顔」以外には反応を示さない様子であり、動画を学習することによって自動的に「人間の顔」の特徴を学習したというのは事実です。そして、一度「人間の顔ニューロン」ができ上がると、そのニューロンは画像のどのような特徴に対して強く反応するかがわかるようになるので「ニューロンが最も強く反応する画像」を(研究者が)作成できます。こうして、動画を見たニューロンが学習した特徴に基づき、研究者が作成した画像が図1-4や図1-5に示す「人間の顔ニューロン」が最も強く反応する画像と「猫ニューロン」が最も強く反応する画像です。ニューラルネットワークは、このような流れによって「人間の顔」や「猫」の特徴を学習し、その特徴によって人間や猫を判断できるようになるのです。

ニューラルネットワークが画像の特徴を学習するということは、研究者の間では古くから知られていました。グーグル社の研究は、人間や猫の特徴を、最も強く反応する画像として可視化して見せたことで、「ニューロンが特徴を学習する」として、多くの注目を集めました。さらに、近年のコンピュータの飛躍的な性能の向上により、ニューラルネットワークが大量の画像を処理して物体の特徴を表現することが容易になったこともまた、ニューラルネットワークの利用を後押ししています。コンピュータの性能を利用し、ニューラルネットワークの階層を増やしたものは、とくに「多層ニューラルネットワーク」と呼ばれています。そして、多層ニューラルネットワークによる学習は「深層学習

図 **1-4** 「人間の顔ニューロン」が最も強く反応する画像

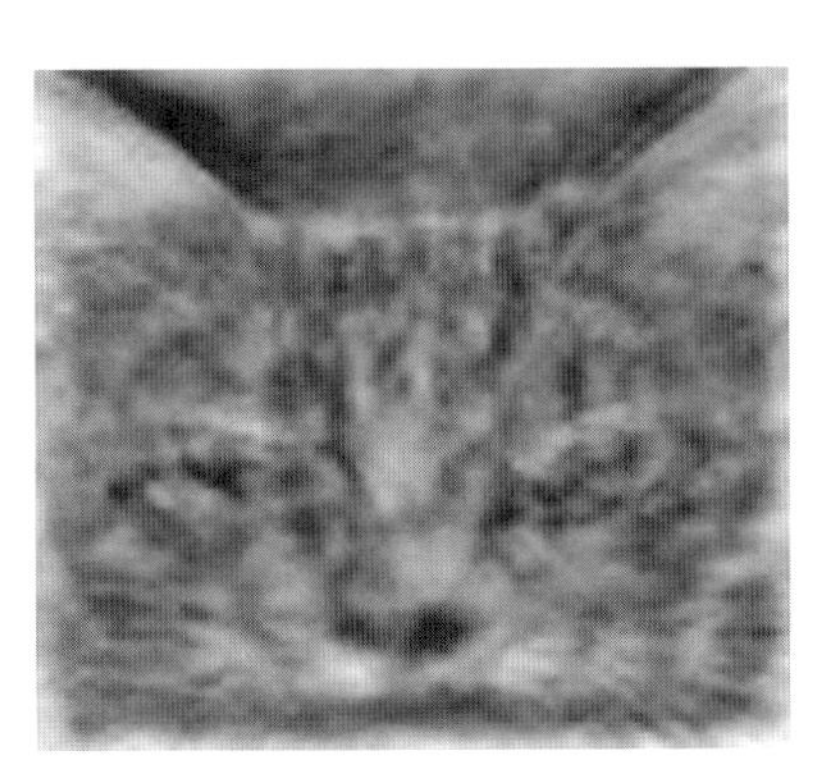

図 **1-5** 「猫ニューロン」が最も強く反応する画像

（ディープラーニング）」と呼ばれます。深層学習は、それまでの多くの認識精度を競い合うコンテストにおいて圧倒的なスコアを叩き出し、世界中のコンピュータ科学者から注目を集めるようになりました。そして、深層学習が「強化学習」というゲームなどのスコアを高める手法に応用され「深層強化学習」が開発され、囲碁の世界チャンピオンにすら勝てるようになりました。深層強化学習は、研究者のみならず一般からの注目を集めるようになり、そうした流れのなかで現在の「ＡＩブーム」が形づくられていきました。

このブームを牽引しているのは、ニューラルネットワークの研究者や、それが発明されるきっかけとなった脳や認知科学に明るい研究者よりもむしろ、その挙動を一通り理解しシステムを開発することに長けたエンジニア（技術者）であるといえます。現在、プログラミング言語の主流は、Python（パイソン）をはじめとする「高水準言語」です。「低水準言語」すなわちメモリのどの位置の値とどの位置の値を足し引きするかなど、機械の動きそのものを直接記述するプログラミング言語に比べて開発が容易です。それだけでなく「ライブラリ」と呼ばれる先人がつくった「部品」を簡単に自分のプログラムに組み込んで開発することができます。一通りの動作を理解することさえできれば、それがどういった思想に基づいて開発された部品か、などと考える必要もなく、その部品に関する専門的な知識がなくとも利用することができます。ニューラルネットワークもまた、部品として利用しやすい形で提供されているため、誰にでも利活用することが可能な時代になったといえるのです。

## 幻滅期――AIブームのこれから

昨今の深層学習に始まるAIブームは「人間を超える人工知能が現れる」「人間の仕事は奪われる」という議論から、徐々に「単純作業は人工知能によって代替すればよい」「人間は人工知能に代替されないように創造的な仕事を行うべき」という議論に移ってきています。深層学習の登場から一段落し、多くの技術者や経営者が実際に技術に触れ、さまざまな試行錯誤を繰り返すなかで、深層学習をはじめとする「AI」と呼ばれる技術群にはできることとできないことがあることを理解し始めた結果、「ならばAIにできることはAIにやらせ、人間は人間にしかできないことをやればよいではないか」という、リックライダーの「人間とコンピュータの共生」に近い考えをもつ人が増えてきているようです。こうした考え方の変化を理解することは、これまでの人工知能(AI)研究の歴史を知っていれば難しくありません。さらにいうならば、これから社会にどのような動きがあるのか、そのなかで私たちはどのように生きればよいのかについても、歴史は教えてくれます。まずは、昨今の「AI」をめぐる議論の変化を追っていきましょう。

2018年10月、アメリカの調査会社であるガートナー社が、AIが「幻滅期」を迎えていると報じ、話題になりました。幻滅期といっても、決して技術としてのAIそのものが社会からなくなるわけではありません。ガートナー社は、技術が社会に浸透していく段階を「ハイプサイクル」という5段階の周期によって表現しており、それぞれ、社会に浸透する前の「黎明期」、期待が過熱する「流行期」、過度な期待が裏切られたことによって関心が失われる「幻滅期」、流行期ほどの注目を失いながらも着実に社会への浸透が始まる「回復期」、そして社会に根ざした技術となる「安定期」と呼んでいます。もちろん、あらゆる新しい技術が社会に根付くとは限らず、流行期すら迎えることなく社会から消えていくものも少なくありません。ただ、ＡＩに関しては、ガートナー社は「２０１９年以降幻滅期に入ると予想されるが、今後も重要なテクノロジーであり続ける」と予想しており、幻滅期を迎えた後、着実に社会に根ざしていくと予想しています。

ブームの始まりの黎明期やブームの真っ只中の流行期に、新しい技術としてＡＩに着目し始めたエンジニアは、現在、多くの問題解決を行いながら、ＡＩにできることとできないことに対する知見を蓄えてきています。大雑把に「ＡＩ」という言葉でくくるのではなく「どのような技術を用いて何を行うのか」を明確にする動きが盛んになってきています。ニュースメディアをつぶさに見ていくと、その様子がよくわかります。

まず、２０１７年9月に、グーグル社エンジニアリング部門の役員であったジョン・ジャナンドレアは「ＡＩという言葉自体が間違っている、誇大宣伝を生む温床だ」と、ＡＩという言葉に対する過度な不安や期待に対する問題提起を行っています(TechCrunch, ２０１７年9月20日)。そして、２０１８年2月に『ニューズウィーク』誌は、ガートナー社の発表した「ＡＩのせいで２０２０年末までに１８０万人が失業する一方、２３０万の雇用が創出される。差し引き50万の雇用増だ」としながら、「『ＡＩが人間の仕事を奪う』は嘘だった」と結論付けています。さらに２０１８年5月に『アスキー』誌は、米国テキサス州で開催される世界最大の複合イベントＳＸＳＷ２０１８の様子を報道しながら「ＡＩブームの終焉」を宣言し、「日本では、未だ「人工知能」をバズワードとしてあおる動きはおさまってはいないが、今なおこのバズワードの動きに踊らされている企業がいるとすれば、世界目線ではかなりの周回遅れになっていると自覚すべきだろう」と警告しています。２０１８年の初頭には、ガートナー社の表現する「幻滅期」が始まっており、現在は「人工知能（ＡＩ）」という大雑把なくくりにとらわれることなく、新しい技術をどのように有効利用していくかというところに視点が移っています。

ＡＩやその周辺技術は、日本国内においては人手不足が顕著な医療業界や建設業界、自動運転に対する活用が期待される自動車業界、顧客情報を分析することで自社の製品に対する潜在需要の発掘を期待する大型店舗やチェーン店など、さまざまな分野において導入が進められています。単純に「人間の労働を代替する」だけの目的でなく、現場の技術や知見の継承や、需要の発掘など、技術の特徴を見極めたうえで、多種多様な目的での利用が進み始めています。

そうはいっても、技術導入を行うなかで、過度な期待が裏切られることによって活用が進まないなど、失敗例も少なくありません。実際に技術導入がうまく進められるかどうかは、歴史を振り返るとよくわかります。かつて、新しい技術が開発されると、研究室内でのデモンストレーションとして注目を集めたものが数多くありました。画像情報に基づいて自動的に動くロボットが、指示された積み木を認識し、適切な位置に配置するデモンストレーションを見て、生活のなかでロボットが溶け込む未来を想像した人も少なくありませんでした。しかし、実際に、研究室の外で利用しようとすると、想定外の環境の変化に遭遇し、途端に精度が悪くなり、簡単には「使えない」ということが、技術を利用する現場で問題視されてきました。高度な能力をもつ技術者がメンテナンスを行う場合を除いて、人工知能やその周辺技術が実社会に溶け込むことは容易ではありませんでした。課題は明らかでした。「想定外」の環境の変化が起こり、コンピュータ自身が、容易に対処できないということでした。この課題に対しては、大別して次の三つの対処方法が考えられます。

① 環境の変化を起こさないようにする
② 環境の変化をすべて予測する
③ 環境の変化に対し、システム自らが対処する

まず、第1の対処方法である「環境の変化を起こさないようにする」という考え方により、「産業用ロボット」が誕生しました。工場などの環境の変化が極めて小さい場所で働く産業用ロボットは、想定外の環境の変化に弱いコンピュータ・システムであったとしても、おおむね問題なく動作します。産業用ロボットは、西洋のような「ロボットは怪物」などという見方があまりなされない日本において、経済成長期の「人手不足」を補う技術としてとくに重宝しました。1969年に初めて日本に輸入された産業用ロボットは、環境の変化が小さい工場などでの工作機械として改良を重ねられました。その結果、日本は「ロボット大国」として名を馳せた一方で、ロボット大国であるはずの日本の技術は、事故後の福島の原子力発電所のように、進行方向にがれきが転がっているなど、環境の変化が想定できない状況下での動作が難しいという現状をつくり出しました。

さて、想定外の環境の変化が起こるのであれば、それらをすべて予測してやればよいではないか、と考えることもできます。あまりにも乱暴な対処方法のように感じてしまいますが、森羅万象の情報

をくまなく集めることができるのであれば、確かに、あらゆる環境の変化は、（言葉のうえでは）予測可能ということになります。まるで現実離れした表現のように聞こえてしまうかもしれませんが、現在の情報技術は、こうした設計思想のもとにつくられているといっても誤りではありません。近年、インターネットやＳＮＳといった技術や仕組みの発達により、ウェブを通して多くの情報が集まるようになりました。また、スマートフォンの普及により、行動履歴などの「ライフ・ログ」や、写真や動画といった多種多様な情報が、容易に収集できるようになりました。こうしたことから、膨大なデータが収集可能になり、「環境の変化」の多くを、データを通じて予測するということが、実際に起こっています。現在の「ＡＩブーム」の背景には、膨大なデータが集まるようになった状況があるのです。もちろん、膨大なデータがあるからといって、何らかの形で処理しなければ、環境の変化を予測していくことができません。それを可能にした技術が、前述した「人間の脳の仕組みを模した」と一般的にいわれるニューラルネットワークです。実際には、私たち生物の脳の仕組みと同じというわけではなく、あくまで、脳の神経構造の一部をデータ処理に用いる、という思想によって設計がなされているものです。

近年、コンピュータの急激な性能の向上によって、より多くのデータを高速で処理できるようになりました。その結果つくられた「ディープラーニング」により「画像のなかから物体を認識する」などといった作業を、これまでにないくらいの高い精度で実現できたり、また、囲碁や将棋においても、人間を打ち負かすほどに「成長」できるようになりました。膨大なデータを集めることで環境の変化をすべて予測するという「力業」によって支えられているのが、現在のＡＩブームなのです。

もちろん、インターネットやＳＮＳが発達したからといって、必ずしも簡単にデータが集められるわけではありません。海の中や森の奥地など、そもそも人間が足を踏み入れることが困難な場所は当然のこと、家庭内に子どもや動物がいれば、彼らは常に予測不可能な突拍子もない動きをします。そうした環境において、データは必ずしも意味をなさず、環境の変化に対してシステム自らが対処することが求められます。環境の変化に対処する仕組みは、生物の反射に見ることができます。「ぶつかったら避ける」「腹が減ったら食べる」などといった原始的な生物にも見られる仕組みは、どのような環境であったとしても、環境の変化に対して、システム自らが対処することを可能にします。こうした反射の仕組みを応用することで、近年、ロボット掃除機の「ルンバ」に代表される、単純だけれども環境の変化に対して自ら対処できるロボットが開発されました。彼らは「ぶつかったら避ける」など、自らの身体と環境との相互作用を通して、環境の変化に対して適応的に振る舞います。こうしたシステムの設計思想は、生物が環境に適応していく仕組みに極めて近い考え方であり、生物が本来もつ「知能」との関連性が強いといえます。とはいえ、生物の仕組みに関しては、まだまだわかっていることのほうが少なく、極めて発展途上の設計思想であるといえます。

現在のＡＩブームを支えるシステムの設計思想は、こうした発展途上の生物が本来もつ「知能」とは異なり、大量のデータを学習することによって「環境の変化をすべて予測する」という思想を源流とします。データを学習することを前提とする以上、適切に動作するかどうかは確率的にならざるを得ず、１００パーセント正確に動作するということはあり得ません。そもそも、現代の情報システムは、すべて論理演算を行うコンピュータによって成り立っており、前述の通り論理演算が自己矛盾を内包する以上、完全に人間の手を離れることはできません。論理演算を行う以上、どれだけデータを学習しても、その判断は確率的にならざるを得ず、人間のように、見たり聞いたり感じたりすることはできないということは序章で述べた通りです。「想定外」が起こらないことが100パーセント保証されていない限り、人間の手を離れることはあり得ません。想定外に対して、見たり聞いたり感じたりといった感覚を総動員することができる人間がシステムに関与するのであれば、人間の感覚を最大限に発揮することができるシステムを設計する必要があります。

これからの社会に求められる能力は、システムに関わるすべての人間、すなわちシステムを設計する設計者、実際に手を動かして開発する開発者だけでなく、日々メンテナンスを行う技術者や、システムを利用する利用者など、すべての人間の立場に立つことと考えられます。そのように、すべての他者の立場に立つことができるという能力は、設計者であっても開発者であっても、また利用者であっても立場を超えて役に立つものと考えられます。「きっと、相手はこのような立場だからこのように振る舞っているのだろう」ということが見えてくるようになれば、自分自身がどのように振る舞っていくべきかが見えてきます。

## 知能の正体——騙される心、認識される世界

ここで、他者を理解するうえでも欠かせない、ブームに騙されてしまう人間の知能の正体について解説します。知能の正体を理解しておくことによって、他者理解は進み、この社会のなかでどのよう

に振る舞うべきかが見えてきます。

ブームは繰り返し起こります。現在、「ＡＩ」という言葉だけでなく、ロボットをはじめ、その周辺技術にも「幻滅期」が訪れ始めているといえます。多くの技術者が注目し、実用化に向けて取り組み始めたところで、何ができるかが明らかになっていき、ブームそのものは次第に冷め、社会全体の熱は沈静化に向かっていくという流れはハイプサイクル(66頁)が説明する通りです。幻滅期が訪れている技術の一つに「チャットボット」と呼ばれる自動会話システムがあります。チャットボットをめぐる歴史的な流れは、ブームが起こる人間心理を象徴している点で重要です。

チャットボットは、かつて「人工無能」と呼ばれ、１９６６年、アメリカのコンピュータ科学者のジョゼフ・ワイゼンバウムが開発したものが最初でした。人の対話を巧みに模倣させることで、人とコンピュータとの会話を成立させるシステムとして世に送り出したのです。ＥＬＩＺＡ（イライザ）と呼ばれるその自動会話システムは、話しかけた人に対して「どんなふうに？」「たとえば？」などと質問を返したり、ネガティブな話題に対して「気の毒ですね」と返したりする反射的な仕組みを実装しただけの単純なものでした。ところが、ＥＬＩＺＡとの会話は、コンピュータについての知識が豊富な専門家にとっても魅力的でした。ＥＬＩＺＡに、真剣に人生相談をする人も少なくなかったといいます。開発の様子を間近で見ていたはずのワイゼンバウムの秘書でさえ、ＥＬＩＺＡとの会話が毎日の習慣となりました。さらには「個人的なことを打ち明けたいから、ＥＬＩＺＡとふたりきりにしてほしい」といい出す人まで出てきたといいます。この現象は、21世紀が始まって20年が経過しようとしている今でも見ることができます。中国マイクロソフトが開発したチャットボット小冰（シャオアイス）は、ユーザーのコメントから感情を分析して、恋人のように、相談に乗ったり時には冷たくあしらったりなど、ユーザーそれぞれの好みを読み取り、適切な反応を選択します。小冰のユーザー数は9000万人に達し、恋人として溺愛する人も少なくなく、社会現象になっています。

科学的知識の乏しかった古代の人であればいざ知らず、現代の、それもコンピュータ科学に明るい専門家たちですら、その魅力に引き込まれてしまうのは、興味深いと同時に見過ごすべきではない重要な点ではないでしょうか。実際、ワイゼンバウムは、ELIZAの単なる人真似でしかないプログラムへの人びとの反応に衝撃を受け、コンピュータそのものに「何かとても危険なものが潜んでいる」と確信したといいます。その後、ワイゼンバウムはコンピュータ科学そのものに批判的な眼差しを向け、技術者にまで批判の目を向けるようになって歴史的な大論争を巻き起こしていきます。とくに、人工知能に対する楽観主義者との論争は、多くのコンピュータ科学者を巻き込んでいくことになります。当時はコンピュータ科学に対する理解も人間への理解も、今とはかけ離れたものでした。多くの研究が進んだ今なら、知能について冷静に考えることが可能です。

当時、人工無能(チャットボット)を発明したワイゼンバウムは、まるでそれが生身の人間であるかのように騙される、すなわち錯覚する人たちを見て衝撃を受けました。しかしながら、錯覚のメカニズムは人間の創造性そのものであり、それなしには生きていくことすらできない重要なものだということが、現在では明らかになっています。序章で紹介した「馬の写真を見たときの人間の創造性」もまた、同じメカニズムによるものです。

## 騙される性質——諸刃の剣

図1-6に、模様のある七つの黒い円を示します。ここにはある図形が隠されている、といわれれば、何か断片が描かれているような気はするかもしれませんが、はっきりと何らかの図形を見出すことはできません。ところが、この七つの円を並べ替えると透明の立方体が浮かび上がっているように見えます(図1-7)。そして、それぞれの円に描かれた模様が、立方体の角であったことが理解されます。

図 **1-6**　主観的輪郭の見えない図形

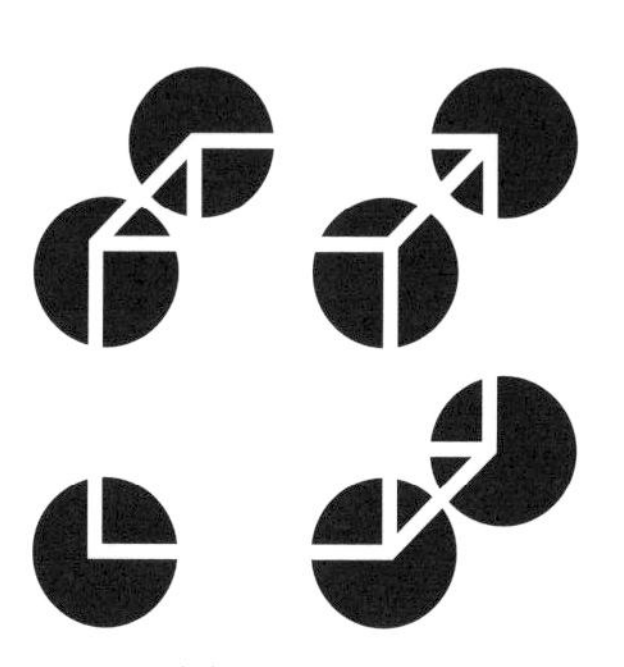

図 **1-7**　主観的輪郭の見える図形

　ここで何より重要なのは、立方体はどこにも描かれていないにもかかわらず、図1-7のように、それぞれの円を立方体を連想できる位置に配置するだけで、私たちは、ありもしない立方体を想像して「見る」ことができるということです。実際、円と円の間には、それらをつなぐ線、すなわち立方体の辺がないにもかかわらず、まるで、そこに線があるかのように見えます。このように、ありもしない形の輪郭が浮かび上がって見える現象は「主観的輪郭」といわれ、私たちの脳に備わる性質として知られています。ありもしない形が「見える」からこそ、私たちは「画素」で描かれたディスプレイの画面に映像を見ることができるのです。

この「見る」ということは、私たち人間に備わった創造的な能力であると同時に一技術にすぎないAIには極めて難しいものといえます。そうはいっても、ありもしない形を見出すという意味では「騙される」という現象であるとも解釈でき、ありもしない図を人に見せることによって、人を騙すこともできます。「見る」という、人間が本来もつ創造的な性質は、その使われ方によって、毒にも薬にもなり得るということです。

人工無能を見る人間にも、同様のことが起こっています。人工無能と会話し、その会話が成立する様子を体験することによって、まるでそこに、ありもしない人がいるかのように錯覚します。実際、それは、あくまで錯覚であることに間違いありません。しかしながら、錯覚し、騙されることは、創造することでもあります。

私たちは、ありもしないものを見出す際、そこに意味を見出します。「立方体があるのではないか」「立方体があるのであれば、この円は、左上の角を表している」「このコンピュータのなかには、自分に応えてくれる人がいるのではないか」——そうしたことは、思い込みであって真実ではありません。しかしながら、たとえ真実とは異なるものであっても、そこに意味を見出すことによって、私たちは、そこには描かれていない物語を創造していくことができます。「七つの円で立方体が表現できるならば、八つならどうなる？」「このような単純な仕組みで心地良く対話ができるのであれば、その性質を利用すれば、パソコンをもっと使いやすくできるのではないか」――このような発想から進歩してきた技術こそが、UX（ユーザーエクスペリエンス）と呼ばれる分野です。コンピュータの画面や操作感覚がどのようなものであれば、ユーザーはより心地良い体感を得ることができ、使いやすさを感じることができるかを研究する学問分野であり、情報通信を行う企業は力を入れて研究を進めてきました。

人間の能力を高めることにも、誤った方向に導くことにも同時に寄与する「騙される」性質は、人間にとって諸刃の剣です。だからこそ、どのように利用していくか、すなわち、どのように創造性を発揮していくべきかを模索することが重要で、人間の脳の仕組みへの一層の理解が不可欠です。

情報社会と呼ばれる現代を生きる私たちにとって、スマートフォンやパソコンを使うことのない生活は考えられません。コンビニエンスストアで買い物をすれば、その情報は瞬時に収集され、少しずつ、社会の姿を変えていきます。技術について無関心でいることはできません。人工知能を志してきた先人たちの歴史に触れることは、私たちの生きる情報社会への理解を進めることを可能にするのではないでしょうか。技術が、自分にとって身近なものと知ることによって、自分との関わりを模索できるようになります。列車にICカードを使って乗車した際、その情報は、どんな人がどんな方法で分析しているのか、そこにどんな難題があるのか、そのイメージをもつだけでも、情報社会の一員としての意見を育むことができるようになるはずです。現代は、一つの分野に閉じることなく、多くの分野の人びとが関わり合うことで、新しい試みを次々に生み出すことのできる開けた時代です。人工知能を一つのきっかけとし、さまざまな分野に視野を広げていきましょう。

## 2 人工知能と社会の進化——情報通信技術と共に変遷する社会

「情報を探し、あるいは手に入れる時間が、それらについて熟慮する時間をはるかに上回っていた」。リックライダーは、論文「人とコンピュータの共生」のなかで、自分自身の研究生活を分析し、「情報を探す」作業が、いかに研究者から「人間らしく」思考する時間を奪っているかを説きました。インターネット誕生以前、私たちは、必要な情報を得るために図書館内を歩き回り、場合によっては何件もの図書館を渡り歩きながら、何冊もの文献をたどり、長い時間をかけてようやく所望の記述を手にする、という気の遠くなるようなプロセスを経る必要がありました。今や、検索サイトの検索窓にキーワードを打ち込むだけで、一昔前ならば図書館を巡らないと手に入らなかったような情報も手に入ります。文献探しや、文献入手のための書類のやり取りに何日もの時間を浪費した経験のある人たちは、夢の時代が到来したと感じるでしょう。リックライダーの「未来の図書館構想」によって始まったインターネットは、社会の様子を一変させ、今なお、その変革は続いています。

世界中がネットワークを介してつながる現代社会は、便利で豊かな社会である一方で、それまでの常識がまったく通じない社会でもあります。序章で見た「社会の画一化」(8頁)は、その一例にすぎません。社会で生きていくには、社会のルールを知ることが不可欠です。にもかかわらず、常に変革を繰り返す現代社会は、ルールそのものが、日々変化しているといえます。それゆえに、日々新しく飛び交う情報に振り回され、どのように生きていくべきかの道標すら見失いがちになります。

ネットワーク化された情報社会を生きていくには、何を頼りにすればよいのでしょうか。頼もしいことに、私たちには、ネットワーク社会というまったく新しい社会の到来に悪戦苦闘してきた先人たちがいます。彼らは多くの失敗を経験するなかで、新しい社会のルールに気づき、その道を切り拓いてきました。とくに、ネットワーク社会の礎を築いた情報通信の研究者たちは、今、私たちが学ぶべき知見を数多く手にしてきました。ネットワーク社会は、情報が飛び交う社会でもあり、そのデータを分析することで有益な情報を得る分析技術（「ＡＩ」と一括りにされることも多い技術群）に注目が集まりがちです。しかしながら、ネットワーク社会のルールを知ることなく分析技術にばかり目を奪われていては、この社会で生きる指針を見失うことになります。ネットワーク社会という、人類がこれまで経験したことのない環境のなかで試行錯誤を繰り返した先人たちの肩の上に立ち、見晴らしの良い位置から、これからの社会についての考察を深めていきましょう。

## 情報通信が変えた社会

変化はある日突然、劇的に起こります。今、自分の生きている社会の常識は、多くの人にとって、これまでも、そしてこれからも常識であり続けるように感じるものです。変化が起こった後の社会の姿を想像することは、多かれ少なかれ、目の前の社会の常識で物を見る私たちにとって容易ではありません。最近では、世界的な感染症の流行が、これまで当然のように行っていた生活を一変させています。また、近代史においては、１９８９年のベルリンの壁の崩壊や、１９９１年のソヴィエト連邦の崩壊は、ほとんどの人にとって青天の霹靂であると同時に、その前の時代を生きていた人たちにとって、いつ、どのように社会が変化するのかを予測するのは難しいことでした。もちろん、さまざまな角度からデータを分析することで、いつか社会が変化するであろうことは理解できるかもしれません。しかしながら、その変化を感覚として理解することは、実際にその時代を生き、身体を伴って実感するまでは難しいのです。

昨今、通勤中に電車内で新聞を広げる人の姿は過去のものとなった代わりに、ＳＮＳを通じて忙しく情報収集する人が急増したように、ここ10年前後で、私たちの身の回りの様子は大きく変化し続けています。２０００年代初め、日本政府は、誰もがネットワークを介してつながることにより「いつでも、どこでも、誰でも、何でも」サービスが受けられる社会、という意味の「ユビキタス社会」の到来を予想し、日本を代表する多くの情報通信メーカー各社はこれを実現するにあたって必要な、高速で大容量の通信技術の開発を進めました。しかしながら、当時、ほとんどの人には今のような社会――スマートフォンによって他人のつぶやきに「いいね」ボタンを押すことが習慣になるような社会や、動画投稿サイトに自らの動画を投稿して有名人になる「ユーチューバー」業界に研究者や教育者までもが参入するようになる社会――を想像できませんでした。

新しい技術が社会を変えるとき、どのようにしてそれが起こるのでしょうか。事前に予測することができるものなのでしょうか。どのような変化が、人間社会にとって「良い変化」といえるのでしょうか。

ネットワーク社会を支える情報通信技術の発展の歴史を遡ると、予想外の変化に悪戦苦闘しながらも、時代を切り拓いてきた研究者たちの思考錯誤に開拓者精神を垣間見ることができます。そして、彼らが積み重ねてきた学びは、現代を生きる私たちに、新しい社会を切り拓き、巧みに生きる術を伝えてくれます。リックライダーがインターネットを発明するはるか以前から、その土台となる技術は社会に浸透していました。情報社会の始まりは、通信技術に見ることができます。

人びとが「情報」に触れるようになったきっかけは何だったのでしょうか。かつて、日々情報に触れる中心的な手段であった、新聞や電話といった「サービス」は、いつ、どのようにして、社会にとっての「当たり前」になったのでしょうか。社会を変えるサービスは、誰がどのように始めるものなのでしょうか。政府か、企業か、それとも、利用者の間で自然に生まれる何かがきっかけなのでしょうか。そして、サービスが浸透したことによる社会問題は、誰が解決できるのでしょうか。法律で解決できるものなのでしょうか。それまでの社会の倫理観は、新しい社会でも通用するのでしょうか。新しい社会が到来したとき、私たちは何を頼りにして生きていけばよいのでしょうか。情報通信の歴史を、その起源にまで遡ることで、それらの答えを模索していきましょう。

## 新しい価値の発見

情報通信の起源の一つに、古代の村落で用いられた敵襲を知らせる「狼煙」などの情報伝達が見出されます。情報伝達は、とくに有事の際には重要です。敵の来襲だけでなく、災害時のSOS発信など、現代においても手段の差こそあれ、内容に変化はありません。しかしながら、情報通信が必要なのは有事だけではありません。平時においてどのような情報のやり取りが行われていたのかに着目し、情報通信がどのように社会を変化させていくかを見ていきましょう。

情報伝達や通信手段の進化を解説する文献は数多くありますが、平時の私たちの社会が情報伝達や通信手段によって、どのように進化してきたかを記述したものはあまりありません。ノンフィクション作家の中野明の『ＩＴ全史──情報技術の２５０年を読む』（祥伝社）は、この観点から社会の進化を冷静に記述する良書です。

中野は、平時の私たちの社会を変えた情報通信の起源を産業革命前後に見出しています。産業革命以前、「人びとは驚くほど狭い範囲で生きていた」といいます。当時、大多数の人が経験する旅は、長くても15マイル（24キロメートル）程度でした。せいぜい隣町を訪問する程度であっても、彼らにとっては長い旅だったと考えられます。そうした当時の人びとの狭い世界を大きく広げたのが産業革命であり、とくに蒸気機関の発明でした。そう聞くと「蒸気機関車の発明により、人びとの移動距離が大きくなった」ことを連想するかもしれません。しかしながら、それまで15マイル程度しか移動したことがなく、その範囲の世界のなかで生きている人が、蒸気機関車を得たからといって、すぐに「（今まで考えたこともないような）遠くに旅に出よう」という話にはなりません。蒸気機関が人びとに直接的に与えたのは、遠方への旅へのモチベーションではなく「情報」でした。

蒸気機関が貢献したものの一つに新聞の印刷技術の革新があります。１８１４年、蒸気機関を動力とした印刷機が新聞社ザ・タイムズに導入されると、1時間に250枚しか印刷できなかった新聞が、一挙にその4倍の1000枚を印刷できるようになり、さらに19世紀半ばには、1万部を超える印刷ができるようになりました。これによって、多くの人たちが日々、遠方の新しい情報に触れることができるようになったのです。そうはいっても、当時の人びとの生活範囲が15マイル程度だったことに変わりはなく、新聞のような新しい情報を、常に大量に求めていたわけではありません。多くの人は、むしろ特ダネを求めました。そこで新聞各社は特ダネを、他社よりも早く報道することに躍起になりました。

1844年8月6日、ヴィクトリア女王に2人目の息子アルフレッド・アーネストがウィンザー城で誕生したことが、4キロメートル離れたスラウ駅の電信局からザ・タイムズに送られ、40分後に号外を発行したといいます。そしてこの速報が、電信のお陰だったと中野は分析しています。当時の先進的な情報技術であった電信によって、「特ダネ」情報が即座に得られることがわかり、人びとは急速に、遠く離れた場所から得られる情報へのニーズを顕在化させていきます。

次に見出された価値ある新しい概念は天気予報でした。今では当然のように受け入れられている天気予報ですが、19世紀中ごろまでは、海軍ですらその必要性に気づいていませんでした。それに気づいたきっかけは、1854年、クリミア戦争に参戦していたイギリスとフランスの連合艦隊が、予期せぬ荒天で手痛い打撃を受けたことでした。「天気予報への需要が高まり、イギリスでは同年に気象局を作り、やがて各地からの気象情報を電信で集めて天気図を作るように」なり「「ザ・タイムズ」はこの気象情報を毎日掲載するようになり、穀物の相場師や農夫、船乗りらに貴重な情報を提供」しました(『IT全史』より)。

このような失敗も経験して人びとは、徐々に「情報」という新しい概念の価値に気づいていきました。次に見出された価値ある新しい概念は「標準時間」です。よく知られるように、太古に人類が発明した「時間」は、太陽を基準としたもので、太陽が最も高い位置に上がった時刻を「正午」としていました。これは当然、場所ごとに異なります。「場所を移動した際に時間がどうなるか」は考慮に入れられていませんでした。それは15マイルの範囲内で生活をする分には大きな問題になりません。しかし、蒸気機関車が発明されるとその問題は顕在化します。ワシントンからサンフランシスコまで蒸気機関車で移動する場合、200回以上も時計の針の変更が必要でした。これではあまりに不便であるとして、「基準」となる時間、すなわち、「標準時間」が発明されました。

ここでの「基準」という考え方は、情報社会を理解するうえで極めて重要です。情報社会において、目の前の人だけでなく、遠方の人とも円滑にコミュニケーションを行うためには、どのような機器を用いて通信を行うべきか、送る信号は何を送るべきか、送った信号の意味するところは何かなど、一つひとつ「通信規則」という約束事を決める必要があります。そうした通信規則を決めていく作業を「標準化」と呼びます。標準化された「基準」となる規則や機器が使いやすいものであれば、利用者にとっては受け入れられやすく、その通信方法は広まっていきます。そして、標準化された技術を開発した研究者や、技術を搭載した機器を開発して販売する企業など、「基準」となるものに関わる人びとは、その恩恵を受け、経済的な成功につながります。情報の歴史は、まさに「基準」のイニシアチブを、誰がどのように取っていくかという駆け引きの歴史であるといえるのです。

こうした時代の流れのなかで、情報通信に関する新しい技術が誕生します。それは「電話」です。電話は、今では新聞や天気予報と同様に当然のように、当たり前すぎるほど普及しているため、私たちにはそれが出現する前の時代に、人びとがどのようにその価値に気づいたのかを想像することは難しいかもしれません。現代では、遠隔地との通話なしには仕事も生活も成り立ちません。しかしながら、電話を見たこともない当時の人びとに、現代のような生活は想像できず、電話の普及は思うように進みませんでした。

20世紀初頭、電話の普及率は、スウェーデン115人に1台、スイス129人に1台、ドイツ397人に1台、フランス1216人に1台、イタリア2629人に1台、ロシア6988人に1台と、ほとんど普及が進んでいませんでした。イギリスでさえ、電話機は1912年時点で全国に60万台しかなかったといいます。日本でも1890年に東京と横浜で始まった電話サービスの普及は遅々として進まず、1960年になっても全国でわずか3・9パーセントでした。

そうした世界の状況のなかで、アメリカの電話加入のスピードは群を抜いています。20世紀の初めにアメリカの電話加入者数は1000万台に達していたのです。この背景に、情報通信に関する重要なポイントを見出すことができます。

電話のように公共性の強いサービスは「ユニバーサルサービス」と呼ばれ、公平な利用を担保するために、政府や行政が責任をもって運営することがほとんどです。イギリスや日本も例外ではありません。しかし、アメリカでは私企業であるAT&Tが、自前でインフラの敷設からサービスの運用を行ってきました。この違いは、サービスを展開するうえで、思わぬ効果を発揮しました。サービスが始まるまでは、電話は注文や依頼などのビジネス用途に用いられるものと考えられていました。しかしながら、いざサービスを始めてみると、その予想は裏切られ、個人的な「おしゃべり」に多くの人が利用し始めました。電話は人びとにとって、新しいおしゃべりのためのツールとして、「成功」したのです。ところが、電話の主な用途をビジネスと決めつけていた他国の政府や行政は、その成功を受け入れることができず、個人利用を行う顧客に向けてサービスを展開して収益を増加させる、ということができませんでした。その点で、私企業であるAT&Tは、個人向けに舵を切り、収益を大きく底上げすることに成功したのです。

ここにも、情報社会の新しいルールを見出すことができます。現代では、インターネットがたわいもないメッセージのやり取りや、通話による長話、そして、SNSでの身の上話など、ビジネス用途とは無縁のコミュニケーションにも用いられることを、私たちは当然、知っています。しかし、新しい技術が実際に導入される前に、そういった用途をイメージすることは容易ではありません。実際は、技術が社会に受け入れられるためには予期せぬ社会の変化に柔軟に合わせていくことこそが必要である、といわれています。経営学者のピーター・ドラッカーは「予期せぬ成功」という概念を用いて、これがイノベーションを実現するうえで最初に注目すべきものと説明しています。予期せぬ成功とは、文字通り、当初は予想もしていなかった成功(経済的な成功)を指します。予期せぬ成功は、(当然ながら)予想外の場所で起こるため、見過ごされがちであり、また、先入観が邪魔をして受け入れがたいものでもあります。「電話はビジネス用途に用いるものだ」という先入観に縛られていたとすると、たとえ、多くの利用者が個人的な「おしゃべり」に電話を利用しているようだという声を聞いたとしても、「それはごく少数の例外のようなものだろう」として見過ごしてしまうかもしれません。たとえ、当初は予期していなかったものだとしても、その可能性を考え、売り上げデータを分析し直したうえで、「実は電話はビジネス用途ではなく、個人的な用途の方に需要がある」ということを突き止められる組織としての柔軟な体制が、新しい技術を社会に導入してイノベーションを起こす際には求められるということを、電話の例は私たちに教えてくれます。

『ＩＴ全史』はまた、「自由競争の行き過ぎ ↓ 政府による規制 ↓ やがて規制緩和」が繰り返されることを指摘しています。これは、現代のインターネット上のサービスが円滑に社会に浸透していくプロセスとしても重要な示唆を与えます。新しいサービスの誕生を政府が主導で行おうとしてもうまくいくものではありません。まずは民間での自由競争が、社会への普及を後押しします。その後、社会で生まれるさまざまな問題に対して規制を設けることで対処し、やがてその規制を緩和していくというプロセスが、新しいサービスがうまく社会に馴染んでいくために必要であると考えられます。

「予期せぬ成功」という考え方に極めて近く、現在、多くの企業が影響を受けているマネジメント論に「リーンスタートアップ」があります。コストをそれほどかけずに最低限の製品・サービス・機能をもつ試作品を短期間でつくり顧客に提供することで、顧客の反応を観察し、その観察結果を分析して市場に受け入れられるか否かを判断し、改善を施したうえで再び顧客に提供する、というサイクルを繰り返す、新規ビジネス創出の方法論であり、近年、アメリカのシリコンバレーで生まれました。これによって、起業や新規事業の成功率が飛躍的に高まるといわれています。とはいえ、「予期せぬ成功」をうまくとらえ、柔軟に組織をつくり替えている企業は、スタートアップ企業（急成長型のベンチャービジネス)にも多くありません。それは、「予期せぬ成功」が本物なのかどうかを見極めるのが簡単ではない、という理由も確かにありますが、それに加えて、「予期せぬ成功」とは異なる情報社会におけるもう一つのルールが関係しているのです。それが何なのかを知るうえで重要な出来事が、20世紀初頭に発生したイギリスの豪華客船、タイタニック号の沈没事故です。

## 新しい技術を有効に機能させるための制度設計

タイタニック号の沈没事故は、実は、情報通信技術をうまく利用できなかったことが原因の人災とも考えられています。そしてそれは、情報通信機器の利用方法に対する精度があれば、避けられた問題でもあるのです。技術利用に対する制度設計の必要性を、タイタニック号の沈没事故は教えてくれます。

1912年4月10日、タイタニック号は、イギリスの港町サウザンプトンから2200名余りを乗せて航海に出ました。そして4日後の4月14日に、事故は起こります。当日、タイタニック号の2人の通信士は、故障した無線装置の修理に多大な時間を割かれていました。その間、送信できない電報が山のように積まれており、事故直前も電報の送信に大忙しでした。そのため、タイタニック号の進行方向に発達した氷山があるとの警告を電信で受けていたにもかかわらず、正確な情報をつかめず船長に報告せずにいました。それだけでなく、衝突の直前には汽船のカリフォルニアン号から緊急通信を受けていました。カリフォルニアン号は氷山に注意する旨をタイタニック号に打電しようとしていましたが、山積みにされていた電報の送信に忙しかった通信士は、カリフォルニアン号からの通信を拒否してしまっていたのです。何度も通信を試みたカリフォルニアン号の通信士でしたが、タイタニック号が氷山に衝突する5分前に通信を諦め、装置の電源を切って就寝してしまいました。そして、その時はやってきます。タイタニック号の右舷前方に氷山が衝突したのです。タイタニック号は船底の亀裂から大量の海水が流れ込み、やがて沈没は免れない状況になりました。

タイタニック号から救助に駆けつけることができる距離にいたカリフォルニアン号は、無線装置の電源を切っていたため遭難信号を受信できませんでした。さらに不運なことに、同船の見張りはタイタニック号の緊急灯火を目撃していたのですが、遭難信号とは思わず無視してしまったのです。最初に遭難信号を受信したのはドイツ船フランクフルト号でした。しかしその距離は約２５０キロメートルも離れており、救助に駆けつけることは困難でした。実際、救助に駆けつけることができたのは、タイタニック号とは約１００キロメートルも離れていたカルパチア号でした。タイタニック号は5日午前2時0分頃、完全に沈没しました。カルパチア号が到着したときには沈没から1時間半以上も経過していました。救出されたのは７００名余りで、１５００名余りが海底に沈んだのです。

タイタニック号の沈没事故が起こった１９１2年当時、すでに無線通信技術は船舶に導入されており、互いに通信を行うことで事故を未然に防ぐことや、事故が発生した際にいち早く救助活動を行うことは、技術的には十分可能でした。しかし、タイタニック号の事故は、たとえ技術が発達しても、それを運用するためには、技術が有効に機能するような制度設計が必要であることを、私たちに教えました。無線通信装置が故障した際に何をすべきか、どのような伝達内容を優先すべきか、重要な通信内容の受信が滞らないようにするにはどうすべきか、装置の電源を切ってよいタイミングとはどのようなときかなど、タイタニック号の事故を教訓とすることで、通信に関して決めるべき数多くの規則があることがわかります。そのため、事故から2年後の1914年、船舶の安全に関する国際条約を取り決める国際会議がロンドンで開かれ、「海上における人命の安全のための国際条約」が採択されました。現在でも「5G（第5世代移動通信システム）」など、通信技術に関するプロトコル（通信規則）設計が盛んに行われているのは、歴史に学び、新しい技術を有効に機能させることで、タイタニック号の事故のような不幸を起こすことなく、技術が役立てられる社会を実現するためです。

このように、情報通信の歴史を見ていくと、新しい技術が日々、社会を変革させていく現代社会の新しいルールを知ることができます。ここまでで得られた知見を簡単にまとめます。まず、情報通信に関する技術やサービスの広がりには「基準」が重要であり、その主導権を握ることが経済的な成功に直結するということでした。技術やサービスの普及は容易に予測できるものではありません。そのため、最初から政府が主導するのではなく、民間での自由競争によって利用者を拡大し、政府は社会で起こる問題に対する規制を設け、徐々にその規制を緩和していくというプロセスが、技術やサービスの普及に不可欠です。その際、技術やサービスの使われ方は必ずしも当初の想定と同じであるとは限らず、思わぬ形で普及する「予期せぬ成功」を受け入れる柔軟さが必要です。そして、新しい技術を有効に機能させるための制度設計が重要であり、そのためにも、「基準」という考え方は欠かせないのです。

## フィルターバブル——収集・分析され、閉じ込められる私たち

さて、ルールに則って普及した新しい技術やサービスが社会を変える際にも、新しい社会の常識ともいえる一定のパターンがあります。現在、フェイスブックやアマゾン・ドット・コムといったインターネットを牽引する会社のサービスが、こぞって採用している「パーソナライゼーション」をご存じでしょうか。パーソナライゼーションとは、ユーザー一人ひとりの「年齢」「住んでいる場所」「職業」といった「属性」や、過去の「行動履歴」といったデータを活用し、一人ひとりに「好ましい」情報を選別して提示するという、ユーザー一人ひとりへの「カスタマイズ」です。

カスタマイズによって、たとえばアマゾン・ドット・コムは、通信販売サイトを運営する際に「AI」と呼ばれる技術を巧みに利用して、ユーザーが注文する前から、注文するであろう商品そのものを予測して配送する仕組みを構築しつつあります。さらに、検索サイトを運営するグーグル社は、ユーザーが検索することなく、過去の履歴から、欲する情報をすべて予測して提供する仕組みの構築を目指しています。こうした現状を見ると、私たちは、意思決定すらせずに生活できてしまう環境が整いつつあるということです。

インターネットを用いて情報にアクセスする際、何をするにも過去の傾向から、各個人が好むと予想されるものを「パーソナライズ」して提供されることによって、私たちは、一人ひとり、自分だけにカスタマイズされた情報に閉じ込められ、それが世界だと思い込まされてしまいます。こういった

状態は、一人ひとりが小さな泡に閉じ込められるような状態にたとえられ「フィルターバブル」と呼ばれています。フィルターバブルは、パーソナライゼーションが当然のように行われている現代社会においては、単なる技術的な現象に留まることなく、社会全体の問題として認識されています。

フィルターバブルに関する社会問題として取り上げられることが多いのは、民主主義に関する問題です。インターネットが登場した当初、誰もが自由に意見を表現でき、民主化が大きく進むものと思われていました。しかしながら、インターネットのユーザーである私たち一人ひとりが触れる情報が、各々にとって「好ましい」ものであった場合、すなわち、私たち一人ひとりの見る世界がフィルターバブルに包まれ、視野が極端に狭くなってしまったとすると、客観的な判断はできるのでしょうか。そして、フィルターバブルに関する真の問題は、単に触れる情報が偏ってしまうということに留まりません。本来はインターネットだけに閉じていたフィルターバブルという問題は、私たちの生きる現実世界そのものを、無味乾燥なものにしてしまう危険性をはらんでいます。

フィルターバブル問題に詳しいアメリカのインターネット活動家であるイーライ・パリサーは、その著書のなかで、パーソナライゼーションの発達した現在のウェブ空間を、20世紀末のインターネット黎明期の頃と比較して、高揚感のない、創造的な思考に適さない空間であるとして、次のように指摘します。

ヤフーが王として君臨していたワールドワイドウェブの草創期、オンラインはまだ地図のない大陸という感じで、ユーザーは自分たちを探検者、発見者だと思っていた。さしずめヤフーは村の宿屋というところで、多くの人が集まり、おかしな獣の話や海のむこうにみつけた陸地の話を交換していた。「探検や発見からいまのように目的を持った検索の世界に変化するなど、思いもよらないことでした」と、当時、ヤフーの編集者をしていた人物は語っている。

（イーライ・パリサー『フィルターバブル』ハヤカワ文庫）

今や、「情報」に溢れたインターネットを「探検」するのは「ＡＩ」であるグーグルやフェイスブックの役割で、人間に残された選択肢は、そうした「ＡＩ」が提示してくる情報を受動的に「消費する」だけになってしまう可能性があります。自分の力で情報にたどり着く労力を省いてくれる代わりに、「ＡＩ」は、情報を探索するプロセスで起こる偶発的な出来事や、そこで得られる体験や感覚といったものまで省いてしまいます。「誰がやっても同じ結果」を効率良く探し出すので、「自分」がどこにいるのか、自分の「意思」は本当に働いているのか、と感じてしまいます。受け取る情報を「ＡＩ」に委ね、受動的な姿勢で情報を受け取るだけだと、自分が主体的に情報を探索しようとする意思、すなわち「能動性」を奪われる感覚を、自らの「意思」をもつ私たちは、感じてしまうのです。

こうした現状に対して、フィルターバブルを生み出したグーグルやフェイスブックを非難するのは筋違いです。彼らは私たちの生活を、圧倒的に便利に豊かにしてくれました。今や、彼らのサービスのない生活は考えられません。すなわち、彼らの開発してきた技術やサービスによって、それを手にする以前に比べ、私たちの生活は豊かになっているはずであり、それ自体はとても喜ばしいはずです。そして、もし彼らのサービスが「能動性を奪ってしまう」ものなのであれば、彼らが、あるいは別の誰かが、能動性をも高めてくれるようなサービスを、やがては発明し、私たちの生活は、より良い方向に向かっていきます。

科学技術の歴史は、そのように「改善」「改良」を繰り返すなかで、私たちの暮らしを発展させてきたのです。私たちの暮らしを支える「経済」は、そうした「改善」「改良」を繰り返していくなかで発展するという「自由経済」を、ある種の前提としており、とくに日本に暮らす私たちにとっては「常識」ともいえる馴染みのある考えなのではないでしょうか。しかしながら、私たちの生活を豊かにしようとして開発されてきたインターネットは、皮肉なことに、こうした過去の「常識」を根本から覆し、「良いものをつくって売る」社会から「みんなが使うものを提供する」社会への転換を起こしました。

## ネットワーク外部性――情報通信社会の経済ルール

「インターネットによって、需要供給曲線は真逆になる」

日本の各家庭にようやくインターネットが普及しつつあった21世紀初頭、経済のルールが大きく変化するであろうことが一部の専門家の間で検討されていました。私たちの生きている実世界（アナログの世界）では、製品やサービスは「世界に一つしかないもの」「自分だけのもの」が高価であり、「誰にでも手に入れられるもの」「みんなが手にするもの」であれば、その価値は下がっていきます。「世界に一つしかないもの」を生産するためには、それを生み出せる職人が、丹精込めて製品をつくる必要があるのだから、高価になるのは当然です。しかしながら、ネットワークを介してつながるデジタルの世界では、「自分だけ」しか使っていないサービスやアプリケーションは使いづらく、「みんなが使っている」ということ自体に価値が生まれます。とくに、SNSをはじめとするプラットフォームと呼ばれるサービスは、自分以外にユーザーがいないと、何の価値もありません。誰もが使っているからこそ、コミュニケーションツールとしての価値が生まれ、だからこそ、さらにユーザーが増えていく、という図式が成り立っているのです。このように、ユーザーがネットワークにつながることで新たな価値が生まれるように、ネットワークそのもののもつ「みんなが使う」ことによって生じる価値を「ネットワーク外部性」と呼び、とくにインターネット出現以降の経済の「ルール」であるととらえられています。実際のところ、ネットワーク外部性が強く働くからといって「需要供給曲線が真逆になる」というわけではないことは、多くの経済学者が指摘している通りです。ただ、21世紀初頭に考えられていたことは、ネットワークを介してつながるデジタルの世界が浸透した社会には、まるで需要供給曲線が真逆になるくらいインパクトがある、ということだったのではないでしょうか。

もちろん、ネットワーク外部性の弱い世界では、これまでの日本企業のお家芸であった「良い製品」を開発して提供するという考え方が役に立たないわけではありません。過去の経済ルールであれば、市場に出回っている製品に比べ、少しでも品質の良いものであれば、消費者はそれを選択します。たとえば、デジタルカメラのように、ネットワーク外部性の働きが極めて弱く、商品の品質そのものが価値として評価されやすい製品であれば、未だに日本企業の存在感は健在であり、世界のシェアの90パーセントを日本製品が占めています。

しかし、インターネットを介したサービスのように、ネットワーク外部性が強い世界においては「良い製品」を開発すること自体、容易ではありません。あるサービスに対してユーザーが多ければ多いほど、ユーザーが、いつ、どのようなときに、どのようにして、そのサービスを利用しているのかに関する情報（データ）が集まります。開発者はそれを見て、どのようにサービスを改善していけばよいのかがわかります。サービスが改善されることで、さらにユーザーが集まります。

一度、ユーザーが集まってしまえば、このように正のスパイラルが回っていく一方で、ユーザーが集まらない限り、そもそも「良い製品」とは何なのかを知ることすら容易ではなく、開発の糸口をつかむことすらできません。インターネット出現以降、経済のルールは根本から覆ってしまいました。新しい経済ルールを知ることで、より事業を拡大した世界規模の企業や、起業家や活動家として多くの個人が活躍できるようになった一方で、それを知らずに苦戦を強いられる企業や個人が多くなってしまったことも事実です。

## 日本の産業政策——過去から学ぶべきこと

ここまでを通して、現在、私たち人類が初めて直面している情報社会という新しい社会を統べるルールについて見てきました。どんな社会にも守るべきルールがあります。情報社会におけるルールを知らず、日々直面する変化に右往左往していると、道を見失い、生きていくことすら危うくなってしまいます。とくにわかりやすい現象が、社会の情報化が始まった１９９０年代以降の日本の産業政策の失敗です。その原因を把握しておくことは、これからの社会を考えるうえで必須といえます。

80年代、戦後の経済成長を経て、好景気に沸く日本企業は、世界を席巻していました。平成の30年間の経済史を振り返った『週刊ダイヤモンド』２０１８年8月25日号には、平成元年（１９８９年）と平成30年（２０１８年）の、各企業の世界時価総額ランキングが掲載されています。それによると、平成元年の世界時価総額上位50社のうち32社を、ＮＴＴ（日本電信電話株式会社）をはじめとする日本企業が占有していますが、平成30年には様相が一変します。名だたる日本企業はランキングから姿を消し、上位50社に残ったのはトヨタ自動車1社でした。『週刊ダイヤモンド』は、日本企業は「製造業中心からＩＴ産業中心への産業構造の転換に対応すべきだった」など、衰退したことには、新しい時代のルールを知らず、情報社会への適応ができなかったことが影響していると分析しています。

確かに、昨今「日本はＡＩ後進国である」という論調が目立ち、世界の新しいルールに適応すべく「ＡＩ人材」の育成が急務と考える人が増えてきています。日本人は、ネットワーク外部性というネットワーク社会ならではの性質を使いこなし、ＳＮＳなどのプラットフォームを用いたサービスを開発することが苦手だ、などという見解を述べる有識者も少なくありません。しかしながら、日本が新しい時代のルールに適応できていない、という考え方に筆者は疑問をもちます。

ＩＴ評論家の尾原和啓は、ＩＴ企業のプラットフォームビジネスを分析した『ザ・プラットフォーム――ＩＴ企業はなぜ世界を変えるのか？』（ＮＨＫ出版新書）において、日本企業のつくりあげてきたプラットフォームビジネスを高く評価しています。欧米のプラットフォームビジネスであるＳＮＳをはじめとするサービスは、ユーザーが直接サービスを利用するものがほとんどで、多くのサービスのうち一握りが生き残る多産多死の環境下にあります。一方、日本企業が生んだプラットフォームビジネスは、直接ユーザーにサービスを提供するのではなく、中小企業や飲食店など、サービスを提供する人びとを支援するものが多いと尾原は指摘します。

たとえば楽天は、中小規模の店舗が集まることで「楽天に行けば何でもある」という状況をつくり出し、独自色の強い店舗が顧客を獲得することを支援する構造になっています。その結果、楽天は、世界的なプラットフォームであるアマゾンよりもはるかに品揃えが多いといいます。また、リクルート社は、中小規模のレストランや温泉宿を支援することを得意としています。スマートフォンが普及する前に携帯電話で利用されていたiモードは、コンテンツ制作を行うベンチャー企業を育てました。多産多死の競争スタイルではなく、サービスを行う中小企業を支援することで自らも成長するという、共に助け合う日本型のスタイルを、日本のプラットフォームビジネスは確立しているといえます。

このように、日本はIT産業構造の転換に対応できなかった、という指摘は正しくありません。当然、新しい時代のルールを知ったうえで、日本の土壌に合わせた形でのサービスの展開を行っています。そうしたサービスが開発できるだけの人材に、日本は十分に恵まれていると考えられます。

それでは、新しいルールに適応できる人材豊富な日本にあって、なぜ、企業はIT産業構造の転換に対応できなかったと揶揄されるまでに衰退してしまったのでしょうか。その答えは、前述した「フィルターバブル」にあると考えられます。本来、フィルターバブルは自分自身の過去の行動によってパーソナライズされた情報にのみアクセスすることで起こります。しかし今、日本に住む私たちが直面しているフィルターバブルは、日本という島国で、日本語という一つの言語でコミュニケーションをとることで、世界から切り離された島国のなかで、まるで世界を知っているかのように錯覚することで起こっているのです。これこそが、日本が「ガラパゴス化」している所以と考えられます。

日本から世界を見るがゆえのフィルターバブルから抜け出すためには、フィルターバブルの構造を理解したうえで、他人からの情報で知ったつもりになるのではなく、世界に対し、能動的に自分の力で働きかける以外に方法はありません。

1982年、世界は、1950年代の最初のAIブームに続く「第二次AIブーム」と呼ばれる時代の真っ只中でした。医師や弁護士など、高度な技能をもつ専門家（エキスパート）の知のすべてを集約する「エキスパート・マシン」こそが、次の世代のコンピュータのあるべき姿であるという世界の潮流に乗り、経済産業省の前身である通商産業省は、570億円という巨額の国家予算を投じ、オールジャパンのAIを開発しようとしました。通商産業省は、コンピュータのそれまでの進化を段階的に整理し、第一世代をノイマンらの時代に開発されていた真空管コンピュータ、第二世代を半導体部品であるトランジスタ、第三世代を半導体を集積した集積回路（IC）、第四世代を半導体をさらに集積した大規模集積回路（LSI）としていました。そのうえで、次世代の「第五世代コンピュータ」は人工知能（AI）であるとし、技術者の代わりにプログラムを開発するAIなどといった、技術的知識を無視した夢物語が語られ「第五世代コンピュータ」プロジェクトがスタートしました。

しかしながら、コンピュータだけが進化しても、その先に、人間を代替する知能をもつAIが待っていないことは、第1章で解説した通りです。結局、このプロジェクトは「閉ざされた象牙の塔での研究に終始し、実用システムにはほとんど貢献することがなかった」と揶揄されるほどに、何の成果も得ず1994年に活動を終えました。もちろん、研究開発である以上、当初の目標が実現できなかったからといって「失敗」と断言する必要はありません。できない理由が分析できたなら、それもまた成果です。しかし、そうした分析結果すら後世に残すことなく「古傷」として語られることに終わりました。プロジェクトの決定的な問題点は、コンピュータ「第一世代」を真空管コンピュータとし、それ以前の歴史に遡る姿勢を欠いたことでしょう。有史以来の人類の歩みと共にある科学技術の進歩への理解があれば、プロジェクトの目標も、人類の大きな歴史の上に位置づけられ、プロジェクトの推進者や参加する技術者も、プロジェクトを自分事と位置づけたはずです。通商産業省という、技術開発を能動的に行うわけではない機関が提示した方向性に対して、技術者にも、能動的に抜本的な方向修正を行う主体者がいませんでした。自分自身が何を誤ったのか、どうすれば後世に知を残せるかを自分事として考えられる人が現れなかったことが、プロジェクト頓挫の最大の要因と感じられます。

こうした国家プロジェクトなどの大規模プロジェクトにおいて「失敗例」は枚挙に暇がありません。2006年、グーグル社の検索サービスをはじめ世界の「新興企業」により、かつて世界を席巻した日本の大手電機メーカーが市場を奪われるようになり、日本のものづくり業界は大きく動揺していました。「アメリカに負けてはいけない。オールジャパンで、勝てる検索エンジンをつくろう！」などと、さまざまな思惑のもと日本の産業界で、経済産業省が中心となり立ち上げた「情報大航海プロジェクト」もその例です。

プロジェクトには、大手電機メーカーがこぞって参画し、総勢50社ほどの民間企業を巻き込み、国家予算300億円を投入して「3年後にはオールジャパンの検索エンジンを実用化しよう」という計画でした（実際に投じられた金額は3年間で150億円）。それほど多くの国家予算を投じた結果、得たのは残骸のような「情報大航海プロジェクト・コンソーシアム」のウェブサイトのみで、その後は誰も「古傷」に触れることなく密かに撤退するに至りました。もちろん、プロジェクト発足当時、経済産業省の担当者をはじめとする関係者は、「第五世代コンピュータ」プロジェクトの経緯をよく知っていました。しかしながら、能動的に目標を設定して牽引していく主体者が不在では「勝てる検索エンジンとは何なのか」すら考えることができず、同じ結果にならざるを得なかったのです。これまでに述べてきたように、検索エンジンの歴史はそれ単体で始まったわけではありません。1960年代にリックライダーが描いた「未来の図書館構想」に端を発し、多くの巨人が築き上げてきた歴史を無視し、目の前のグーグル社の検索エンジンが優れている、という情報だけを頼りに考えても、未来を見通すことなどできるはずがありません。歴史の延長線上に、能動的に世界と関わり合うことなしには、日本という島国のなかで、フィルターバブルに囚われ続けてしまいます。

日本では、島国という特殊な環境もあり、フィルターバブル現象が歴史的に繰り返され、それが技術開発に影響を与え続けているように筆者には感じられます。実のところ、日本からは、多くの基礎技術が誕生しているものの、日本国内では日の目を見なかったものも少なくないのです。古くは、1941年に始まった太平洋戦争において、航空機の位置を的確につきとめ、日本軍に壊滅的打撃を与えたアメリカ軍のレーダー技術があります。その基礎は、1926年に東北帝国大学工学部教授だった八木秀次と宇田新太郎が発明した、八木・宇田アンテナと呼ばれる日本ではあまり注目されることのなかった技術でした。

アメリカの半導体素子メーカー、インテルのＣＰＵ（中央処理装置）の最初の発明者もまた、東北大学を卒業したコンピュータ設計者の嶋正利でした。第１章で紹介した、昨今のＡＩブームの火付け役となった深層学習も、１９７９年にＮＨＫ放送科学基礎研究所の福島邦彦が発明した「ネオコグニトロン」を基礎としています。

今、日本に必要なものは、世界の動向に対するキャッチアップではありません。歴史的視野に立ったうえで世界を知り、そのなかで、日本を位置づけ、日本に関する長期的展望を描いていくことです。その第一歩として、現在、世界で注目されている「信用経済」という話題について考えながら、能動的に世界と関わる視野について考えていきましょう。

## 信用経済――隣国で起きている社会の変革

現在、キャッシュレス決済やシェアリング自転車などのデジタルに紐づいた新しいサービスの普及により、利用者をスコアリングして信用情報を計算する「信用経済（評価経済）」という仕組みが世界各国で注目されています。スコアリングとは、客のデジタルデータから自社への将来的な「価値」を予測し、その価値に準じて順位をつけることを意味します。とくに「ＡＩ大国」中国では信用経済が盛んに取り入れられています。中国の事情について詳しくない場合は「中国は一党独裁だからデータを取るのにプライバシーを守る必要がない」と、憶測のみで断じてしまうことも少なくありません。現代のネットワーク社会においては、憶測だけで語ることなく、現状についての理解を少しでも深める努力を怠らないことが重要です。起業家の藤井保文らは、著書『アフターデジタル――オフラインのない時代に生き残る』（日経BP社）のなかで、そうしたデジタルの仕組みに基づく社会づくりに力を入れる、中国の現状を描いています。藤井らは、信用経済を抵抗なく受け入れる中国での利用者の様子を、まるでゲームのようにポジティブに受け入れている、と表現しています。さらに興味深いのは、デジタルの浸透した社会では、おのずと他人を騙す人が少なくなるなど、モラルの向上が見られる点です。デジタルが文化に影響を与え、倫理観まで変化させるということは、これからの社会を考えるうえで興味深く、世界中で注目されています。

ただ、こうしたデジタルによる文化の変化について考えるときには注意が必要です。信用経済の浸透した中国を、外から見ているだけでは大きな勘違いをする可能性があります。その結果、何も得られないどころか日本を含む世界の未来を考えるうえで逆効果となることも多いのです。ことデジタル社会を理解する場合に、中国を「一党独裁」という色メガネで見ることは、ミスリーディングにつながります。日本を「AI後進国」であると揶揄し、中国などデジタルの浸透した社会へのキャッチアップを盛んに唱える人が、各国の事情を研究することなく、数値での単純な比較や、（外からの）印象だけで物事を考え、意思決定している現状には、強い危機感を覚えます。

「彼を知り己を知れば百戦殆（あや）ふからず。彼を知らずして己を知れば一勝一負す。彼を知らざれば戦ふ毎に必ず殆ふし」。孫子の兵法は多くのビジネスマンに愛読され、経営術としても盛んに用いられています。「日本はAI後進国」などと自虐的な表現が用いられる昨今、「AI先進国」たる「彼」らとは誰なのか、また「AI」とは何なのか、彼らのつくるデジタル社会とは何なのか、そして自らを「ＡＩ後進国」と揶揄する日本とは何なのか。それらを知らずして「戦う」ことはできません。自分がどこにいるかもわからず、また、目の前の人が敵なのか味方なのかもわからない暗闇で、ただただ刀剣を振り回すようなものです。

それでは、文化がデジタルから大きな影響を受け、倫理観まで変化させているといわれる中国は、内側から見るとどのような国なのでしょうか。（デジタルをさておいて）中国に降り立ってすぐに感じるのは、人の多様さとエネルギーです。

人口約14億を抱える中国には、首都北京だけでも２０００万を超える人が居住しています。街を歩くと、大都市のショッピングエリアでも、高級店の隣の屋台に人がごった返していたり、レジの列に割り込むことに何の抵抗もなかったり、どこからともなく世話好きのおじさんが登場したりします。路地裏に入ってみると「こんな隙間のようなところにも人が住んでいるのか!?」と驚く一方、飛び出してきた子どもたちが、地べたで雑貨を広げて商売をしている両親の手伝いをしていたことに気づき、自由闊達でエネルギッシュな空気が日常として流れていることに新鮮な驚きを覚えます。ときどき見える中国共産党のスローガンは、もはや空気と化して誰も気に留めません。それどころか、あまりにも多様な人びとの生活スタイルは、日本にありがちな「同調圧力」のような雰囲気を微塵も感じさせず、政治に異を唱えない限りは何をしても「自由」な雰囲気があります。

一方、そうした「自由」さは、他人への関心のなさの裏返しともいえます。日本でよく見られる「協力」「協調」といった概念は、中国では希薄といえます。伝統的には「ボランティア」という考えが乏しく、困っている人がいて、日本人的感覚からすれば「（常識的に考えて）協力するよね？」といいたくなる場合であっても「協力することで私に何のメリットが得られるの？」と考えるのが彼らにとっての常識なのです。日本の常識が、世界的にはいかに「非常識」であるかが、中国の人びとと交流するとよくわかります。中国を中心とした東アジアについて研究する岡本隆司は、著書のなかで、そうした「自由」な中国文化の成り立ちについて、経済史的観点を踏まえて解説しています。

> 社会保障でいえば、最近の都市部は変わってきたが、病気も老後も自分で何とかする、という考え方がずっと一般的だった。なればこそ、民間セーフティネットの発達が著しい。お上をあてにしないのが中国人なのである。
>
> （岡本隆司『近代中国史』ちくま新書）

政府が主導し、官民一体となって進めてきた日本の経済成長とは大きく異なり、中国のそれは、「改革開放」政策のもと、民間が、自分たち自身の力で生き抜こうとしてつくってきたものといえます。こうした中国の性質の背景に、岡本は19世紀の急激な人口増加と、それに伴ういびつな都市構造を見出しています。当時の中国は行政機能をもつ行政都市と、権力との関係が希薄な市鎮（農村に形成された市場町で、城壁も行政組織もない）に分かれていました。人口増加によって後者の人口が急激に増加し、権力のコントロールが行き届かなくなりました。全人口のおよそ95パーセントが市鎮に住んでおり、その様子は、ほとんどの人が行政都市か、それと直結した村落に住んでいた日本とは対照的です。日本に比べると、いびつな都市構造をもつ中国において、歴史的に重要な役割を果たしてきたのが、隋の時代に始まった「科挙」でした。もともとは血統や家柄によって決められていた支配階級である「士」に、被支配階級である「庶」から、官吏として登用できるようにすることが目的でした。しかし、科挙は、古典を覚え、その真理を適切に表現できる能力、すなわち「士」としてふさわしい素養をもつかどうかを試すもので、実務能力を問うものではありません。科挙に合格し「士」の資格を得て支配階級という特権を得るに至った官僚たちに実務能力はありません。政府は、そうした「士」を養うためだけに存在していたとすらいえます。

では、特権階級を得られず、何の保証もなく「士」を養うためだけに租税を納める立場の「庶」の人びとは、どのように生きたのでしょうか。ここに、現在の中国をはじめとした世界の国々を理解するうえでの大きなヒントがあります。

「士」になれない人々はどうするのか。条件にめぐまれない「庶」は、少しでも負担を回避するために、その家族・財産もろとも「士」のもとに身を寄せて、その特権にあずかろうとした。自分が独立した財産をもっていれば、税も納めなくてはならぬし、労働奉仕もまぬかれない。ところがその財産を「士」に寄進し、自身も使用人としてその家の一員になれば、「士」の免役・免税の恩恵が及んで、負担が軽減される。そればかりか、その「士」の威を借りて、自分と同じ「庶」よりも有利な地歩を占め、上に立って見下すことも、不可能ではなかった。（同前）

中国を訪れて興味深く感じるのは、その血族のつながりの強さです。血族が大事にしている者は自分にとっても大事な客人であるといわんばかりに、客人を熱烈に迎えます。あまりにも多い人口のなかで、血のつながりほど信頼できるものはありません。道行く人に親切にしたところで、何が得られるかもわかりませんが、血のつながりのある者であれば、さらにそのつながりを強めることができます。こうした文化の延長線上に、「信用経済」があり、それを可能にするのが「信用スコア」です。信用スコアとは、決済サービスに関する利用実績や学歴・財産などの属性によって、個々人の信用力を評価し、スコアとして表示する仕組みを意味します。

これは私の主観ですが、信用スコアが浸透してから中国人のマナーは格段に上がったように感じられます。以前は、電車から人が降りる前に乗り込んだり、順番を守らなかったりするのが常態化していました。中国は基本的に性悪説で、他人を信用せず、損したら負けという価値観があります。（中略）そうした状況で信用スコアという評価体系が登場したことで、「善行を積むと評価してもらえる」と考えるようになりました。文化や習慣ではできなかったことが、データとIT技術（原文ママ）によって成し遂げられようとしているのです。政府による管理社会の構築に今後使われてしまう、という怖い側面がないとは言い切れませんが、現状の「善行を積むとメリットがある社会の実現」は、デジタルによる社会システムのアップデートの一例と言えるのではないでしょうか。

（前掲『アフターデジタル』）

「正直者がバカを見る」社会において「善行を積むと評価してもらえる」ことを保証してくれるシステムは、まさに理想的といえます。現代社会においては、ネットワークを介したデジタルのつながりは「信用」を強め、それが「マナー」や「モラル」にまで影響を及ぼしています。とくに、中国の文化的背景を考えると、それがいかに社会に求められていたものだったかがわかります。「信用経済」がつくるサービスとして、現在、個々人の資産や時間などを分け合う助け合いによって経済を回す「シェアリングエコノミー」という概念が注目されています。これは資産や時間を分け合うという意味で、顔の見えない相手への信用なしに利用できるものではありません。シェアリングエコノミーの成立には、信用経済が前提となります。

シェアリングエコノミーの例に、自家用車を運転する一般のドライバーが、空き時間を利用してタクシーサービスを行うUbar（ウーバー）や、自宅の空き部屋などを利用してホテルサービスを行うAirbnb（エアービーアンドビー）など、今や世界中で、日々新しいサービスが開発されています。とくに中国では、その普及が進んでおり、自分の代わりに店の行列に並んでくれる「隣趣（Linqu）」というサービスまでもが人気を博しています。

シェアリングエコノミーに関わるサービスは多岐にわたるため、これだけを見ていると「今、流行っているらしい」という表面的な理解に終始してしまいがちです。さらにいうなら「みんなが助け合える」「良い話」ともとらえられがちです。テクノロジーの浸透した未来の社会の姿を、シェアリングエコノミーを中核に描く絵も少なくありません。日本政府も「シェアリングエコノミー促進室」なるものをつくっているほど、シェアリングエコノミーの普及に力を入れています。しかし、こうした流れも、ただキャッチアップに終始すると「猿真似」で終わってしまうのは目に見えています。背景となる文化を含めた他国の現状への理解があってこそ、シェアリングエコノミーという概念が自国ではどう位置づけられるのが適切なのか、どのような人がいて、どのように関わり合っている姿が自国に最も求められているのかを描くことができます。また、実際に導入した際にも「予期せぬ成功」を受け入れながら導入を進めていくことができるのであれば、たとえシェアリングエコノミーそのものは日本社会に浸透しなかったとしても、その導入の過程で、日本ならではのデジタル社会の姿を見出すことができるようになるのではないでしょうか。

## 利他行動と共感――情報通信社会を生きる私たちがもつべき視点

「信用スコア」による「信用経済」は、不特定多数の他人と接触する機会が多く、ともすれば「正直者がバカを見る」ことが当たり前の情報社会において「利他行動」の誘因となる理想的な社会システムといえるかもしれません。「情けは人のためならず」といいます。他人のための行為がすべてスコア化される「信用経済」について論じるうえでは、人のためではなく自分のためになる「利他行動」がどのようにして起こるのかを無視することができません。信用経済によって利他行動が促進されるのであれば「お天道様は見ている」という道徳をもち出すまでもなく、社会は良くなるはずです。とこの一点だけを切り取ると「信用経済」は良いことばかりで、すぐに社会全体に浸透しそうです。ところが実際のところ、スコア化は「自分の行動が見張られている」という心理的な気持ち悪さもあり、適さない社会もあります。それでは、社会にとって、信用経済の利用は是なのでしょうか。それとも、社会ごとに異なる何かがあるのでしょうか。そうした指針を明らかにするためには、利他行動がどのようにして起こるのかを考えることが、極めて重要になります。

利他行動を考えるうえでは「行動経済学」という学問が役に立ちます。一般的に学ばれる経済学では「人間は合理的に判断するもの」という前提があります。すなわち、「スコア化されるから利他行動をする」というような、合理的判断を行う人間(ホモ・エコノミカス)をもとに、経済的な行為が行われているという説明が、伝統的になされてきました。しかしながら、近年、人間心理は経済学が前提とするように合理的ではなく、ホモ・エコノミカスを前提とした経済理論は、現実と乖離することがあることが問題となってきています。そうした文脈にあって、実験などで観察される人間行動をもとに構想されたのが「行動経済学」です。ホモ・エコノミカスを前提とする経済学には見出すことのできなかった人間行動を分析する学問です。利他行動に関する問題は、まさに行動経済学が扱う中心的なものの一つで、盛んに研究されています。

利他行動に関する代表的な実験に「最後通牒ゲーム」と「独裁者ゲーム」があります。

最後通牒ゲーム

相手が誰か分からないように、2人を1組にして、片方の人間にこう言います。

「あなた方2人に1万円を差し上げます。ただし、この1万円をどう分けるかは、あなたが決めてくれて結構です。2人で分けても良いし、分けなくても良い。しかし、相手には拒否権が与えられていて、あなたの申し出る分配額に不満ならば、相手は受け取りを拒否できます。その時は、1万円の全額が没収されてしまいます」

（依田高典『ココロの経済学——行動経済学から読み解く人間のふしぎ』ちくま新書）

このゲームにおいて、1万円の分け方を自分が決められる立場だった場合、自分と相手の配分は、どのようにするのが良いでしょうか。もし、相手が、合理的判断を行うホモ・エコノミカスであれば、1円でももらえれば、もらえない（没収される）よりは良いと考え、受け取りを拒否することはありません。それを前提とし、さらに自分がホモ・エコノミカスであった場合には、相手がホモ・エコノミカスであることを前提にした合理的な判断を行うので、自分が得られる金額を最大にすることのみを考え、相手には1円を渡せば十分であると考えるでしょう。しかし、実際、自分が分け方を決められる立場に立ったとすると、そのような合理的な判断を下すことは極めて少ないのではないでしょうか。相手は、自分と同じ血の通った人間であるということを、自分は考えます。そうすると、自分が相手の立場だとすると、1円しかもらえないとする場合、たとえ自分が1円をもらえる機会を逸するとしても、相手が分け前を得る機会を没収するペナルティを与えてやろうと考えることもあり得ます。相手が1円という少額を提示される際に感じるもの悲しさを、自分が感じてしまうこともあるかもしれません。そのような「他者理解」や「共感」といった心理によって、実際は、1円よりも高い金額を、相手に配分することを選択することがほとんどです。次に、最後通牒ゲームの設定を少し変えた「独裁者ゲーム」について見ていきましょう。

## 独裁者ゲーム

相手が誰か分からないように、2人を1組にして、片方の人間にこう言います。

「あなた方2人に1万円を差し上げます。ただし、この1万円をどう分けるかは、あなたが決めてくれて結構です。2人で分けても良いし、分けなくても良い。相手に拒否権はなく、あなたの申し出る分配額を受け入れるしかありません」（同前）

独裁者ゲームの最後通牒ゲームとの違いは、相手に拒否権がない点です。あなたが1万円の分け方を決められる立場だった場合、相手からのペナルティを想定する必要はありません。このため、相手が合理的判断を行うホモ・エコノミカスでなかったとしても、相手への配分は0円であっても問題はないはずであり、本来であれば、相手への配慮は必要ないはずです。しかしながら、私たちが行う判断は、その限りではありません。実際に最後通牒ゲームを行うと、分配額は平均4000円程度で、独裁者ゲームでは平均2000円程度であるという研究結果があります。相手からのペナルティのみを想定するならば、独裁者ゲームの2000円は必要ないことになり、この金額がまさに、相手のためにのみ行動することを意味する「真の利他性」に対応すると考えられます。独裁者ゲームにおいては、相手が、友人や家族のような身近な存在であったり、一度相手を見たことがある場合であったりしても、分配額が高くなる傾向があることが知られています。文化の違いが利他性に影響することも知られており、アメリカと南米を比較した場合に、アメリカのほうが、利他性が高かったという報告もあります。

私たち人間は、本来、他者の気持ちを理解し他者に対して感情移入することなしに、豊かな社会をつくることはできません。私たちの脳には、自分が行うときだけでなく、他者が行うのを眺めているだけで活性化する神経細胞、ミラーニューロンがあると考えられています（サルの大脳において確認され、人間のそれにも存在するとされています）。ミラーニューロンの働きによって他者を理解し、他者の行為を自分事としてとらえ、他者に共感することで、互いに助け合う社会性をもつことができます。ミラーニューロンを発見したイタリアの神経科学者ジャコモ・リゾラッティは、私たちのもつ、このミラーメカニズムの働きが、社会の一員として生きていくことを可能にすると主張します。他者の行動を客観的に観察することで、その人が何を考え、どのような行動を行うのかを推測することは、確かに不可能ではありません。しかしながら、他者の行為を「自分事」とし、自分自身の行為として身体で感じることにより、他者の意図や期待を手に取るように理解できるのです。

私たちは、生物としての進化を経て、ミラーメカニズムを獲得することによって、豊かな社会をつくってきました。ミラーメカニズムがあるからこそ他者の理解ができ、コミュニケーションは成立します。そして私たち人類は、長い歴史のなかで道具を発達させ、社会を進化させることによって、その豊かさを深めていきました。それは、情報技術に基づく現代の情報社会においても何ら変わらないはずです。しかしながら「ＡＩ」という概念の出現は、そうした私たち人類のもつ心の豊かさが、どのようなものであるかをわかりにくくしています。

情報科学を牽引してきたアメリカはもちろんのこと、技術者の数も多く、法律が曖昧なことからデータの収集が容易な中国などの国々においても、データを収集・分析してサービスをブラッシュアップする企業が事業拡大しています。こうした表面上の事実だけを見て「日本はＡＩ後進国」「日本は遅れている」と論じるのは楽ではあります。しかし、それでは、情報社会のなかで、自らの立ち位置を理解することはできません。また、生産的な結果につながることは何一つありません。

確かに、伝統的に職人気質の強い日本は、手触り感覚のあるものづくり、ハードウェアづくりに長けている一方で、ソフトウェアやネットワークを駆使した長期的な戦略に基づく仕組みづくりは得意ではないかもしれません。しかし、そもそも情報社会のなかで、日本は他国の気持ちを理解し、他国に感情移入するという、人間本来がもつミラーメカニズムをどれほど発揮しているでしょうか。他者理解や共感を放棄してしまっては、世界中がネットワークを介してつながるこの社会で生きていくことすら危ういのではないでしょうか。

## 共感と心——情報社会における日本文化の役割

これまで本章で扱ってきた情報社会という人類にとっての新しい環境におけるルールは、情報通信技術とサービスに関するものと、国際社会のなかで自他を相対化することに関するものでした。新しい社会において、今後、無視できないものの一つは、他者を理解し、共感する「心」に関する問題ではないかと考えられます。行動経済学においても扱われる「心」の問題は、理路整然とした論理を重視する伝統的な「近代科学」である「西洋科学」とは相性が悪く、学問としての「主流」から逸脱したものとして扱われてきました。そうはいっても、その重要性が認識されることで、最後通牒ゲームのような実験が行われ、その結果として、徐々に学問のなかに組み込まれてきたという歴史があります。

近年、脳神経科学の発展により「心」に関する理解は急速に進んでいます。ミラーニューロンの発見は「他者理解」や「共感」といった心の働きへの理解を進めました。しかしながら、発見者のリゾラッティ自身が指摘するように「ミラーニューロンがあるから他者理解ができる」という論理は問題を先延ばしにしているだけで、「そもそもなぜミラーニューロンがつくられたのか（私たちはなぜミラーニューロンを獲得したのか、ミラーニューロンは私たち生命にとってなぜ必要だったのか）」という「心」の問題の根幹が理解できたわけではありません。

伝統的に「東洋思想」とされてきた、日本や東洋に歴史的に受け継がれてきた考え方は「心」を重視してきました。他方、東洋思想は論理を曖昧にする傾向があり、近代科学との相性の悪さが指摘されてきました。こうした伝統的な東洋と西洋との対比を大まかに理解しておくことは、「デジタル社会」を構成する情報システムの「心」を扱う難しさを考えるうえで重要です。東洋思想を背景とした「いのち」の論理を探究する清水博は、著書のなかで、東洋思想を近代科学に応用する際に発生する問題点を指摘しています。

東洋の論理では、ものごとを理詰めに捉えることを積極的に避けようとします。たとえば現在の社会生活において、安心して生きるための条件を深く考えるということは、これまでにも何度もなされてきましたが、その反面、その生活を実現するために十分な条件を考えることは避けられてきました。それは、必要条件に加えて十分条件を考えると、理詰めになってしまうからですが、理詰めを嫌うのは人間と自然の捉え方に深い原因があります。いずれにしろ、十分条件は、各人がその場その場において自覚的に創り出すものであって、伝統的な東洋の論理の対象ではないのです。

（清水博『生命知としての場の論理——柳生新陰流に見る共創の理』中公新書）

簡単に解釈すると、「東洋思想は、「安心して生きる」ことが実現できている未来とはどのような未来かを描くことができる（必要条件を考えることができる）一方で、そうした未来はどのようにすれば実現できるか（十分条件を考える）については各人のその場その場の判断に委ねられる」ということです。たとえば禅は、心のもち方の重要性を説く一方で、そうした心の状態に至るまでのプロセスを理詰めで説明することはありません。これは、現代の日本の多くの企業にも見られます。新入社員に対して「ビジネスマン」たる理想像を語る一方で、「要するに何をすればよいのか」は「働きながら自分で身につけろ」などと、背中を見て育つ職人にも似た精神を求められるのは、伝統的な日本が受け継ぐ東洋的な思想を背景にしています。東洋思想は、機械にすら真似できない「素材の声を聞く」ような職人芸を可能にする一方、「精神主義に結びつきやすい」という大きな問題を抱えています。

東洋の論理を社会の問題に実際応用しようとすると、多くの問題点をはらんでしまいます。第一に、十分条件を語らず、必要条件だけを強調することになるから、精神主義に結びつきやすく、また各人が個性を発揮しにくく、そのままでは西洋の論理と結びつけることができません。第二に、目的の設定に関する議論がないために、戦争とか、大量殺戮、自分本位の排他的な行動など

図 **2-1** 「椅子に座る」行為

のようなものにすら活用される恐れがあります。（同前）

西洋科学が「心」の扱いを難しくしている一方で「心」の問題を重視する東洋思想は、精神主義に結びつきやすいという問題を抱えています。筆者は、西洋科学が直面している問題に対し、東洋思想をも頼りにした「生命」の立場からの考察を行うことによって、近代科学が発展していくと考えています。前著『人工知能はなぜ椅子に座れないのか』（新潮選書）のなかで、人間がいとも簡単に行う「椅子を認識する」という行為のなかに含まれる「心」の変遷を解説しました。

図2－1は「椅子」を利用する人が、その「行為」を通してはじめて「椅子」という（物体ではなく）存在を認識する様子を表しています。私たちが「椅子」を見つけ、利用するときには、単に「椅子」の形だけを見て「椅子」を認識するわけではありません。「それに座って考える」「それに座って仕事をする」「それに座って話をする」など、「椅子」と自分との関係、すなわち「物語」を見出していると考えられます。

私たちは「椅子を認識する」前に「身体」をもち、自分自身の

「人生」という「物語」を生きています。この「物語」が、自分自身が今、存在する「場」です。たとえば「山道をひとりで歩き続け、くたくたになり、一服したいと思っている」という「物語」に自分が位置づけられているとします。そのなかで、一つの「岩」を見たとします。その人は、何を意識するでもなくその岩に腰かけるでしょう。これが「山道を歩いてくたくたになっている」という物語のなかに、その「岩」が位置づけられた瞬間です。くたくたになったその人にとって、岩の材質が玄武岩であろうが花崗岩であろうが、山頂から転がってそこにあるものであろうが誰かがもってきたものであろうが、まずは関係ありません。「山道を歩いてくたくたになっている」という物語のなかに「腰かけるのにちょうどいい岩があった」ことが重要であり、そのときはじめて、その岩と人が「腰をかけられるもの」と「腰をかけるもの」という「関係」をつくり出すのです。さらに、そこに岩があり、腰をかけて一服することができたことによって、その人の「物語」は変化していきます。一服して体とともに心が休まったその人は、今後は、弁当箱を取り出して食事をするかもしれません。そのとき、岩は、その人にとってテーブルという役割を果たし「弁当を置くもの」と「弁当を置かれるもの」という新たな関係がつくり出されるのです。

人間が椅子を認識するとは、このように「物語」のなかに「関係」をつくり出すということであり、これは、機械が画像のなかから椅子という物体を認識する処理とは根本的に異なります。人間の認識は「意味を見出す(つくり出す)」行為であり、さらにいうなら「自分の人生を生きる」ということにつながります。このように、自分の物語のなかに関係をつくり出すという東洋思想的な考え方は、西洋科学に基づく情報科学において、どのように取り扱うべきかが十分に考えられていません。すなわち、情報技術だけではどうにもならず、自分の人生を生きる人間が担うべき役割であるといえます。

心の問題は、論理を重視する西洋科学とは相性が悪く、理詰めを避けて「いかに生きるか」を深く考えてきた東洋思想との親和性が強いと考えられる一方で、論理による理路整然とした議論を避ける東洋思想は、精神主義と結びつきやすい傾向にあるということは前述した通りです。うまく機能すれば「心の安寧」につながるはずの東洋思想は、日々、流言飛語に曝される情報社会においては（理屈はさておき）「アメリカで成功している○○に倣うべき」「中国の○○を学ぶべき」などといった、根拠のない「べき論」に対する歯止めをかけにくいものでもあります。今一度、情報社会を客観視することが必要であり、それによって、今、社会が私たちに何を求めているのか、視野を広げることができるのではないでしょうか。

リックライダーは、「人とコンピュータの共生」という、自らの生き方を人間らしく、クリエイティブなものにする未来を思い描きました。皮肉なことに、彼が発明したインターネットは、現在、フィルターバブル問題を起こし、人びとの能動性を奪ってしまう一面をもちます。一方、その延長線上に発展した信用経済は、利他行動を促進し、心の豊かさにつながる一面があります。本来、東洋思想は、心の問題を扱うことを得意とします。「椅子を見る」という私たち人間が、普段、当たり前のように行う行為一つとっても、私たち一人ひとりが、独自の「物語」をもち、そのなかに「椅子」という物体を、能動的に位置づけていることに気づきます。独自の「物語」なくしては、私たちは、生きていくことすらできません。信用経済によって心の豊かさに気づき始めた情報社会のその先には、私たちの一人ひとりが創造する「物語」をより豊かにしていく社会が待っているのではないでしょうか。

# 3 人工知能と場——統計とネットワークが奪ったものと未来への希望

昨今、「ＡＩと呼ばれるものは、どうやら、データを統計分析するツールのようだ」と、現実に即した理解をする人が増えてきています。データを統計情報として適切に利用できれば、中国での信用経済のように、社会が円滑に機能するような仕組みを整備することも可能です。それでは、どんどんデータを取得して、統計分析するＡＩをつくれば、社会は良くなるのでしょうか。序章で述べたように、統計分析には、社会を「画一化」に向かわせる危険な側面があります（８頁）。また、それは、私たちを偏った情報の泡に閉じ込めるフィルターバブルをも引き起こします（91頁）。統計分析は、社会がネットワーク化されればされるほど、私たちの本来の意図とは異なる方向に社会を導きます。これからの情報社会を考えるうえでは、まず、統計分析が社会に与える影響についての適切な理解が不可欠です。それでこそ、これからの社会がどうなっていくのか、情報社会と私たちがどのように共生していくことができるのか、が見えてきます。

本章では、まず、ネットワーク化された情報社会が引き起こしている問題について、具体的な例と、理論的側面を検討していきます。そして、人間社会の理論であり、ネットワーク社会を説明する理論にはない、日本に古来ある「場」という考え方を紹介し、現代社会の見方を広げていきます。最後に、現代社会が奪いつつある「自己感」に触れ、「場」という考え方がどのように「自己感」に寄与するのかを考えながら、これからの社会のあるべき姿について考察していきます。

## ネットワークと統計──情報社会を支える技術の落とし穴

画一化やフィルターバブル問題をはじめとする、ネットワーク化される社会の負の側面は、私たちにどのような影響を及ぼしているのでしょうか。この情報社会を牽引してきた数々の巨大ＩＴ企業を生み出してきたシリコンバレーの様子を見ると、少しずつ変化が起こっているようです。ここからは、シリコンバレーで指摘されているいくつかの問題についてまとめたうえで、情報社会の限界を一言でいい表す「無限定環境」という言葉について解説します。そのうえで、ネットワーク化された情報社会の成り立ちを説明する「複雑ネットワーク理論」について解説し、この情報社会がどのような法則によって動いているかを改めて解説します。

### 岐路に立たされる巨大ＩＴ企業の苦悩

シリコンバレーには、ビジネスアイデアをもつ多くの人が、技術力や資金力、ビジネスノウハウなどをもつ人とつながり、矢継ぎ早に新しいビジネスを生み出す土壌があります。それが、テクノロジー業界の四強で、この世界そのものを創り変えたともいえる四騎士ＧＡＦＡと称される4社──グーグル、アップル、フェイスブック、アマゾン──の急激な成長によって少しずつ変化しています。

シリコンバレーに本社を構え、ベンチャービジネスに資金を提供し経営コンサルティングを行うベンチャーキャピタリストのアニス・ウッザマンは、かつてのイノベータであったはずのGAFAこそが、現在、イノベーションを阻害する要因であると指摘します。問題は、GAFAが強すぎて、ベンチャーのアイデアをすぐに実現できてしまうことだといいます。ベンチャーが生き残るには、GAFAに見つからずにアイデアを育てていく必要があります。GAFAで働いていた社員がGAFAに足りないサービスをつくり、独立して売却するという流れもあり、ますますイノベーションが生まれづらくなっていると指摘します。

GAFAによる影響は、イノベーションの阻害に留まりません。ウッザマンは、今、シリコンバレー発の巨大企業による行き過ぎた資本主義社会によって、ライフワークバランスを崩したビジネスパーソンと「金儲け」に疑問をもつ人が増えてきたと述べます。

ウッザマンはシリコンバレーの家賃の高騰に関しての指摘もし、すでに金銭的な「大成功」を収めた人でないと生きづらい環境を問題視しています。これは、単に(これまで努力してきた)大企業に対しての妬みを述べているのではなく、社会構造に関する大きな問題提起に感じられます。もちろん、シリコンバレーそのものが、新しいアイデアやビジネスの生まれるエキサイティングな風土を失ったわけでは決してありません。しかしながら、数十年先の未来を見通す人たちの目に、GAFAの内部にも外部にも、必ずしも明るい未来があると映ってはいないのです。

GAFAに対して指摘されている問題点はそれだけではありません。各国メディアは、急成長したGAFAが今、苦境に立たされていると伝えます。フランスの経済紙『レゼコー』は次のように指摘します。「ソーシャルメディアは10年間、絶え間なく成長を続けた後、初めて息切れの兆しを見せた。世論は疑念を深め、政治圧力は強まり、健康被害の危険も指摘される。業界は新たな課題に直面している」（『産経新聞』２０１８年12月31日に掲載された翻訳より）。２０１８年3月、アメリカ・フェイスブックの情報が、イギリスのデータ分析会社に不正流用された事件など、スキャンダルが相次いでいます。また、ソーシャルメディアの絶え間ない使用が、ストレスや鬱など健康問題につながることから、同紙は「ユーザーは倫理を最も重視するようになった。陰謀論やフェイクニュースがソーシャルメディアで流れていることも、非常に大きな問題だ」（同前）とし、ＧＡＦＡへの批判の強まりを指摘しています。

そして、個人情報の取扱いなど、データの管理方法についても、私企業がそれを管理することの深刻さに、世界は気づき始めました。フェイスブックが外部のアプリ開発企業に共有を認めた利用者データの管理方法に不備があるとの見方から、アメリカの『ワシントン・ポスト』紙の社説は「アメリカはプライバシー保護の本格的な立法が必要だ」と訴えています（２０１８年12月21日）。フェイスブックが首都ワシントンの司法長官から訴えられるなどの動きがあったことから、アメリカでは、巨大企業が握る膨大なデータ利用のあり方に対して、議論が活発化しているのです。

岐路に立たされるＧＡＦＡの問題は決して「他人事」ではありません。ＧＡＦＡのサービスを享受するユーザーとして意見をもつ必要があるのはもちろんのこと、情報社会に生きる私たちには、自分自身がつくり出すシステムやサービスが急成長し、次世代のＧＡＦＡにまで成長する可能性を秘めています。そうした「アメリカンドリーム」が誰にでも実現しうる現代社会において「ＧＡＦＡの向こう側」に描く世界がなければ、当然、そこに到達することはないでしょう。

### 無限定環境——私たちの生きる世界と統計の限界

ＧＡＦＡをはじめ巨大ＩＴ企業の急成長を支えたのは、彼らが活躍の舞台としているデジタル世界に他なりません。ネットワーク化されたデジタル世界では、人と人がつながるコストは限りなくゼロに近く、また、一度つくったプログラムやデータは無限にコピーすることができ、いつでもどこでも誰でも利用できるようになります。現実世界では、人に会うにも、ものをつくるにも時間やコストがかかるため、一つの製品やサービスの情報が広がるには時間がかかります。デジタル世界では、情報の広がりにかかる時間とコストを限りなくゼロに近づけられます。ＧＡＦＡをはじめとする巨大ＩＴ企業は、デジタル世界の性質を利用してサービスを拡大してきました。そして現在、彼らのサービスは現実世界に入り込みつつあります。グーグル社が開発している自動運転技術や、アマゾン社が経営しているコンビニエンスストアAmazon GOはその一例にすぎません。デジタル世界と現実世界の壁は、少しずつ消えていっています。やがては、現実世界とデジタル世界は融合し、その違いを感じることすら難しくなっていくと考える人も少なくありません。

それでは、現実世界とデジタル世界との壁がなくなり、私たちの社会はどんどんデジタル化していくのでしょうか。実は、デジタル世界から現実世界を見たときに、どれだけ頑張っても届かない大きな壁があります。それを象徴する言葉が「無限定環境」です。

パソコンやスマートフォンなどの機械を使って操作するデジタル世界は、あるボタンをクリックすると何が起こるかは前もって決まっており、予想外の動きを見せた場合は、使い方が悪いか、プログラムにバグが含まれているか、あるいは機械そのものが故障しているかです。そして、私たちの目には現実世界も、首を右に振って右側を見れば、当然、右側の景色が見え、左側を見れば左側の景色が見え、マジシャンにでも騙されない限り、プログラムのバグのように、別の景色が見えることはないはずです。この点では、デジタル世界も現実世界も変わりがないように見えます。しかし、デジタル世界から現実世界を見ると、その様子は一変します。私たちが現実世界で右を向こうとする場合、当然ながら、クリックすべきボタンはありません。どれくらいのスピードで首を動かすのか、何を基準に右と判断すべきか、どれくらいの角度まで首を振って止めるか、一つひとつ数値化していかなければ、どのようにすれば動けるのかすら決めることができません。そして、その数値は状況によって常に変化します。右を向くのは、ほとんどの場合は、何か見たいものがあってのことです。しかし、そこに何があるのか、たとえば馬がいるとしても、その馬の姿形は常に変化し、数値で決められるものではありません。このように、デジタル世界から現実世界を見たときに大きく立ちはだかる壁であり、ボタンをクリックするように一つひとつの命令を「限定」することができない現実世界の様子を「無限定環境」と呼びます。無限定環境という現実世界の影響は、現実世界をデジタル情報で扱おうとしたときに、さまざまな問題を引き起こします。その代表として、オーストラリアなど国土の広い地域で用いられているごみ収集ロボットの「失敗例」を紹介します。

ごみ収集ロボットは、前もって決められた位置に置かれた、形状や大きさなど規格の決まったごみ箱を見事に認識し、ロボットアームを寸分の狂いもなくごみ箱に近づけ、それを持ち上げて、中に入れられているごみを、ごみ収集車にふるい落とすことによって収集します。その的確な動きは、まるでごみ収集車が「意思をもつ」ようにすら感じるほどです。しかしながら、この見事なシナリオに少しでもひずみが生まれると、すべてが狂い始めます。

ごみ箱の位置が、定められた位置より少しでもずれている、形が規格から少しでも崩れてしまっている、ごみのかさが規定よりも少しでも大きい、規定よりも少しでも重い、など、定められたルールから少しでも逸脱した途端に、想定した動きを実現することができなくなってしまいます。図3-1は、ごみ収集車が持ち上げたごみ箱を引っかけてしまい、中に入っていたごみを周囲一面にばら撒いてしまった様子です。人間の仕事を減らすはずのロボットのこのような失敗を見ると、運転手の「仕事を増やしてくれたな」というため息が聞こえてくるようです。

無限定環境において、ロボットが想定した動きを達成するには、定められた環境を逸脱してはならず、その背景には、ごみ収集ロボット(ロボットアーム)は、失敗しようがしまいが、それに「気づく」ことすらできないという人間とは決定的に異なる性質があります。

もちろん、前もってどのような失敗を起こし得るかが予測できていれば、センサーを準備することで、失敗しているかどうかを観測することはできます。そして、どのような失敗が起こり得るかについては、データを蓄積しておくことによって、機械学習などの手段を用いることで、失敗が起きにくい工夫をすることは不可能ではありません。しかしながら、そこにある「経済」、すなわち「お金」の問題もまた、無視することはできません。

現在、センサーそのものは安価なものが多く、失敗しているかどうかを観測すること自体は難しくありません。しかしながら、それで、ごみ収集ロボットが失敗に「気づく」かどうかは別問題です。たとえば、センサーそのものが故障したとしても、その故障は、人間がセンサーデータを見てみない限りはわかりません。自動的に検知したいのであれば、センサーを監視するセンサーか、あるいはプログラムによる何らかの仕組みが不可欠です。もちろん、センサーが故障していないとしても、固定していたはずの位置から外れてしまう可能性もありますし、角度がずれてうまく観測できないかもしれません。無限定環境においては、想定通りに事が進まない可能性は無限にあるのです。

こうした想定外の事象を集めるのに適しているのが、データの蓄積による統計処理による機械学習です。1台のごみ収集ロボットによる成功時／失敗時のデータ(ロボットアームにかかる重さや、動作状況、成功／失敗のどちらかなどの情報)は、何度も蓄積することによってその傾向をつかむことができます。もちろん、わずか1台によるデータでは、失敗時のデータをほとんど集めることができず、分析を行うには不十分です。そうすると、ネットワークの力に頼ることができれば、事は有利に働きます。インターネット上にごみ収集ロボットの情報が集まる「プラットフォーム」をつくり、首尾よく情報を集めることができれば、常にデータを収集・分析することができます。これにより、失敗時の傾向がつかめるようになります。

図 **3-1**　ごみ収集ロボットの失敗

もちろん、それぞれの環境には違いがあり、収集・分析したデータには、そうした環境の違いによる影響も大きく含まれています。そうした状況であっても、データを大量に集めるという「力業」を用いることで、そうした違いは「ノイズ」として平準化されます。たとえば、ノイズとして「+1」が含まれるものと「-1」が含まれるものを足し合わせるとゼロになる、といった具合に、多くのデータを足し合わせることで、細かなノイズは平準化することができます。当然ながら、こうして大量のデータを用いて傾向をつかんだからといって、不測の事態による影響をゼロにすることはできず、失敗が起きたときにごみ収集ロボットがそれに気づくことができないのはいうまでもない話です。が、その影響を減らすことができることから数少ない失敗に関しては、あきらめて「運転手さんがカバーしてください（運転手さんの人件費を増やすことで運用してください）」ということができます。

さて、今見たように、ごみ収集ロボットのようなシステムを実際に運用する場合、無限定環境にどのように対応していくかは、費用の問題に置き換えられてしまうことがほとんどです。システムを開発する費用に加え、データを集める費用、データを集めるプラットフォームを開発する費用、プラットフォームを普及させるための販促費用、そして、システムの運用・保守を行う人件費など、ロボット1台を運用していくには多くの費用を要します。

そうした諸々の費用を加味したうえで「本当に費用を負担する価値があるのか」を検討し「費用を負担するなら、どこまでか」を決める必要があります。システムの導入や運用には費用がかかるということを前提とすることで、そもそも、本当にごみ収集ロボットを運用する必要があるかを現実的に議論することができます。オーストラリアは国土が広く、ごみ収集自体に労力がかかってしまうという問題に直面しています。このため、ごみ収集ロボットで収集作業を自動化することで「人件費を削減する」ことができるのであれば、それを開発し、運用する価値があります。しかしながら、それが「仕事を増やす」結果につながるとすると、価値は無に帰してしまいます。それを解決するために「機械学習を導入すればよいではないか」ということになると、今度は「データを収集して分析する」ための仕組み（プラットフォーム）を開発し、それを運用するという新たな「仕事」が発生し、それには（場合によっては）多額の費用が発生します。機械学習の導入には、そうした「経済」、すなわち「お金」という、技術的観点とは別の問題を考慮する必要があるのです。

そして、機械学習の導入にはさらに大きな問題が発生します。それは、プラットフォーム化による「画一化」の問題です。収集したデータをなるべく正確に分析するためには、その条件を揃える必要があります。そのためには、「規格」を統一しておく必要があるのです。すなわち、形状や大きさなどを揃えた同一規格のごみ収集ロボットを、定められた運用ルールに従って運用していく必要があります。この「規格化」が、正確であればあるほど、収集されたデータは正確に分析できるようになります。しかしながら、そのように規格化が進めば進むほど、規格を見直すことが難しくなります。

このように、無限定環境において、うまく動作するシステムを運用するのは容易ではありません。システムというデジタルの世界と、無限定環境というアナログ世界は、このように、大きな隔たりがあり、一言で「デジタルとアナログの融合」は、口でいうほど容易ではありません。しかし、だからこそ、そこには大きなフロンティアがあると考えられます。

## 複雑ネットワーク理論——予言されていた巨大IT企業の出現

巨大企業の出現は、ネットワーク化された社会においては必然といえます。物理学者たちは、この社会の法則を、物理法則として導き出しました。定性的に知られていた社会現象も、物理法則とされることで、何が原因なのかを理解でき、そして社会の構造が変化すれば何が起こるのかを予測できるようになります。

「金持ちはもっと金持ちに」

多くの人が、おぼろげながら抱いていたこうした感覚は、20世紀の終わりに始まった「複雑ネットワーク理論」と呼ばれる物理学の一理論となり注目されました。理屈のうえでは、お金持ちが寄付活動を行い、また多くの税金を納めることで、富が循環し、誰もが豊かになっていく「トリクルダウン」という考えのもと、財政政策が進められています。しかしながら現実は「いまは億万長者(ビリオネア)になるのはかつてないほど容易だが、百万長者(ミリオネア)になるのはかつてないほど難しい時代」といわれています。富の再配分は、現実的には容易ではないのです。

複雑ネットワーク理論の創始者で、ハンガリー出身の物理学者アルバート=ラズロ・バラバシは、インターネット上のネットワークや人間関係のネットワークを「成長するネットワーク」と呼んでいます。成長するネットワークは、知らず知らずのうちに有名なリンクを選び取るような「優先的選択」という性質と、優先的選択を通して時々刻々とネットワーク構造を変化させる「成長」という性質によって「べき法則」に従う「スケールフリーネットワーク」構造をもちます。べき法則とは、少数のノード(ウェブサイトや人)が、ほとんどのリンクを独占する「べき分布」(11頁)に従う法則です。

そして、べき法則をもつネットワーク構造が「スケールフリーネットワーク」です。

バラバシは、成長するネットワークが、実際にべき法則を再現することを数式によって説明するとともに、コンピュータ・シミュレーションで再現しました。そして「アメリカ中の人とつながるのには6人の交友関係をたどれば十分」（六次の隔たり）という事実や「経済の80パーセントは20パーセントの人が握っている」「顧客クレームの80パーセントは20パーセントの消費者が生み出している」などの現象を指す「80対20の法則」（「マーフィーの法則」や「パレートの法則」とも呼ばれます）を物理学によって説明しました。ネットワーク構造の分析は「世界の仕組みを読み解く」ことにつながるのです。

成長するネットワークの性質は、変化の速いデジタルの世界ではより顕著に現れます。「ホリエモン」という愛称で知られる実業家で投資家の堀江貴文もまた、自身の経験をもとに描いたノンフィクション経済小説『拝金』（徳間書店）に次のような表現を用いています。

ＩＴの世界は、勝てば倍々ではなく、乗数で伸びていく。2は4となり、4は16、16は256。パソコンのビット数と一緒だ。1を2にするより、100を10000にするほうがはるかに簡単だった。

ネットワークを介することのない、あるいはその影響の小さいビジネスであれば、「商品を売った分、あるいはサービスを提供した分、売り上げが上がる」ため、「勝てば倍々」、すなわち、商品やサービスが市場に受け入れられれば（売れれば）、その規模で、事業が拡大していきます。つくればつくるだけ、働けば働くだけ、売り上げが上がるという構造をもっているため「労働集約型」の産業になりがちです。一方、ITの世界は、一度つくったコンテンツであれば、労力をほとんどかけることなく、半自動的に複製することができます。そしてそれを、ネットワークを介して提供することで、コンテンツ製作者が、あるいはサービス提供者が何もしなくても、ユーザーはそのサービスを享受できます。その結果として、事業の規模は「倍々ではなく、乗数で伸びて」いきます。ネットワークによる事業拡大の性質を「ネットワーク効果」と呼びます。そして、売り手と買い手など2種類のユーザーを共通のプラットフォームでつなぎ、片方を無料で、もう片方を有料にしてサービスを提供するビジネス・モデルを「両面市場」と呼びます。

両面市場の最も典型的な例が、伝統的なグーグル社のビジネス・モデルです。検索をはじめとする無料サービスでユーザーを自社サイトに集め、他方で、検索連動型広告という、広告としては非常に優れ、かつ高収益なサービスで企業に課金するというモデルを実現しています。両面市場のモデルを用いたビジネスは「プラットフォーム・ビジネス」としてよく知られます。一方で、なぜグーグル社だけが検索連動型広告によって成功をおさめているのかを理解することなく、単純に「プラットフォームをつくっている」という理解で終わってしまうと、前述の「情報大航海プロジェクト」のような失敗(100頁)を繰り返すことになります。

グーグル社の古くからの検索サービスは、ユーザーが増えれば増えるほど検索結果の質が上がるという点で、無料ユーザーに対してネットワーク効果をもっています。そして、その一方で展開する有料の検索連動型広告もまた、ユーザーが増えれば増えるほど、その価値が高まるネットワーク効果の影響を大きく受けます。これによって、広告主の企業は、出資をし続けざるを得ないという、両面市場の経済学を見事に実現しています。

こうした両面市場の経済学を利用したビジネス・モデルは、多く見られます。インターネット・オークションは売り手が増えれば増えるほど買い手にとってのサービスの魅力が増し、手数料を多く徴収することができます。お見合いサイトをはじめとするマッチング・サイトもまた、同様の構造が成り立ちます。両面市場の経済学を利用したビジネス・モデルは、サービス開発をはじめ、初期投資のために多くの費用を費やす必要がありますが、一度「循環」が起これば、事業の規模は「倍々ではなく、乗数で伸びて」いきます。

攻めるときは、攻め続けなくてはいけない。ここで金を出し惜しみするから、みんな、すべてを失うんだよ。2億儲かった、もう十分だ、これでいい。経営者が満足した時点でベンチャーは終わる。ベンチャーは拡大を止めた時点で死ぬ。よく覚えておけよ。

『拝金』の主人公である起業家のメンターが述べたこの台詞は、まさにGAFAをはじめ、両面市場の経済学を駆使するスタートアップ企業の実態を端的に指摘しているといえるのです。

## 場と生命——世界が注目する日本の理論

ここまでは、ネットワーク化された社会の実態について考えてきました。こうした現状を知ったうえで、ネットワーク社会の「向こう側」、すなわち、まだ見ぬ新しい未来を描いていくことはできるのでしょうか。そのために必要なのが、人間社会における、複雑ネットワーク理論と異なる法則です。人間社会における別の法則を考えるうえでは、日本発の理論が活躍します。

ここで紹介する二つの理論に共通するのは「場」という考え方です。日本語には「場を共有する」「場違い」「場づくり」など、目に見えない「場」という言葉が多く登場します。「場」を英訳するには直訳がなく、文脈に応じて適切な言いまわしを考えるなど、工夫が必要です。このことから「場」という日本人に馴染みのある概念は、必ずしも世界共通ではありません。そして、興味深いことに「場」は、生命にも親和性が強く、生命の生命たる所以は「場」にあるといっても過言ではありません。「場」は、統計的に処理され、画一的に扱われることを余儀なくされる現代社会とは真逆の概念といえます。暗闇で光る大量のホタルの群れが、まるで一個体であるかのようにシンクロし、オーケストラの即興演奏のように一斉に明滅することができるのは、リズムという場を共有してこそできるものです。一つひとつが不揃いで「不良品」が多い私たちの身体を構成する60兆の細胞もまた、同じ場を共有し、即興演奏をすることができるからこそ、一個体として生きることができます。日本古来、受け継がれる「場」という概念は、社会が統計化され、ネットワーク化される今こそ、必要とされるのかもしれません。

場の概念は、人間社会のなかで「知」が生まれ、育っていくプロセスと密接に関わりがあります。

## 知識創造——関係のなかでの知の創造

日本に古くから存在する「場」という考え方は、日本企業において次々に「知」が生まれるプロセスと直接に結びついています。日本企業は、かつて、世界経済を席巻していました。現在、日本企業では、何が受け継がれ、何が失われてしまっているのでしょうか。今、私たちは、経済成長著しかった時期の日本から何を学び、現代社会に生かしていくことができるでしょうか。世界が当時の日本から学んだのは何だったのでしょうか。日本企業の成功の要因を研究する経営学者の野中郁次郎は「組織的知識創造」こそが日本型イノベーションの鍵であるとしています。

現実世界の「無限定環境」のように、不確実な環境下において、日本企業は、力を発揮してきました。戦後まもなくの焼け野原の状況から、朝鮮戦争とベトナム戦争という世界的な動乱を経て、ニクソンショック、二度のオイルショックなど、日本は常に、先の見えない不確実な環境下に置かれてきました。そのなかで、一つのイノベーションが次のイノベーションを生み出すという正のスパイラルを生み出すことができたのが「場」の力を下地にもつ「組織的知識創造」だったといいます。低燃費のエンジンを生み出したホンダや、マイクロコンピュータ搭載の一眼レフカメラを生み出したキヤノンなど、その例は枚挙に暇がありません。組織的知識創造を一言で表現すると、暗黙知を形式知化するプロセスです。一人ひとりがもっている言葉にならない思いや、組織のなかで描かれている具現化されていない概念のようなものを、具現化していくプロセスであるといえます。

野中によって体系化された組織的知識創造は、四つのプロセスから成ります。共同化(socialization)、表出化(externalization)、連結化(combination)、内面化(internalization)です。それぞれの頭文字を取って「SECI（セキ）モデル」と呼ばれます。

まず、共同化とは、師匠が弟子に背中を見せるように、直接何かを教えるのではなく、場を共有することで、何かを感じ取るプロセスであり、暗黙知から暗黙知への変換が起こります。次に、表出化は、言語を使った対話のプロセスです。「クルマはどのように進化していくだろうか」などといった問いかけなどを行いながら、共有された暗黙知の土台に立ち、コンセプトが表出されていくプロセスであり、暗黙知から形式知への変換が起こります。次のプロセスは、連結化です。コンセプトを組み合わせて一つの知識体系をつくり出すプロセスであり、表出化された知を、資料などに起こすことによって整理していきます。形式知から形式知への変換が起こるプロセスです。最後のプロセスである内面化は、行動による学習です。資料などの形で形式知化されたものは、他の人にも追体験をすることができます。これによって、形式知化されている知識を、自分のものとします。形式知から暗黙知への変換が起こります。こうして暗黙知化された知識は、次の共同化のプロセスに生かされ、さらなる知識創造へとつながり、次々に知識が創造されるスパイラルが生み出されます。

戦後の日本企業を研究することによって体系化されたSECIモデルに描かれている組織のスタイルは、経済成長期以前から、日本の組織において伝統的に実践されていました。これに学ぶことで、成長を遂げた組織の一つが、太平洋戦争時のアメリカ海兵隊であり、アメリカにありながら日本的コミュニケーションを実践する組織として「アメリカン・サムライ」と呼ばれています。軍隊と聞くと、上官の命令には必ず従う中央集権的な組織構造を連想しがちです。しかしながら、常に最前線での戦いを任され、変化する戦況に対して柔軟に対応することを使命としてきた海兵隊は、太平洋戦争初期において勇猛果敢に戦った日本軍の戦いから徹底的に学びました。そこで彼らが今なお実践しているのが、ＳＥＣＩモデルの四つのプロセスであると、野中は著書『知的機動力の本質――アメリカ海兵隊の組織論的研究』（中央公論新社）のなかで解説します。共同化のプロセスに該当するブートキャンプでは、すべての海兵隊員が厳しい訓練を全員で乗り越え、「あ・うん」の呼吸が推奨されるほどの信頼の絆と愛が生まれるといいます。次に、表出化のプロセスに該当するＡＡＲ（After Action Review）と呼ばれる部隊のリーダーと部下の間で随時行われる議論の場では、「いま・ここ」の生き生きした文脈のなかでの判断と行為の反省を多面的かつ正直に論じ合うといいます。そして、連結化のプロセスは、ＭＡＧＴＦ（Marine Air-Ground Task Force 海兵空地任務部隊）と呼ばれる多様な組み合わせを実践できる多能力の部隊構成によって実現されます。最後に、内省化のプロセスを実践する研修では「内省的実践家」を養成することを目的とし、技術に頼るのではなく、技術をも利用して個々の能力を高める「厳しく訓練され、高い規律をもち、われわれの中核価値と国家理念で形成され指導された戦士」になるべく、「人間中心主義的な技術哲学」を強調します。

野中は、アメリカ海兵隊を、「デジタル革命のただなかで、人間中心主義のデジタル化にこだわっている」組織であると分析します。アメリカ海兵隊は、戦闘だけでなく、災害や人道支援、自国民救出作戦など、さまざまな現場を経験し、そのなかでの暗黙的コミュニケーションを経験したうえで、それらを組織のなかで共有し、蓄積していくことで、常に変化する現場の「知」を組織そのものに反映します。そして、その結果として組織そのものが変化していきます。これによって、現場で一人ひとりの海兵隊員が経験を積んで成長していくだけでなく、組織としても、現場の知が蓄積され、成長していくことができると考えられます。

アメリカ国民の間では、不測の事態が起こると「海兵隊に告げよ」(Tell it to the Marines.)や「海兵隊を派遣せよ」(Send in the Marines.)という表現が頻繁に用いられます。それは、自己犠牲の精神により、常に自己変革を行ってきた海兵隊の歴史的な積み重ねに対するアメリカ国民の評価だといえます。アメリカの男らしさの象徴とまでいわれる海兵隊の背景には、暗黙的コミュニケーションという日本が伝統的に行ってきた意思疎通の流儀がありました。そして、ただ日本の流儀に学ぶだけでなく、変化し続ける環境のなかで自己変革を行ってきたことこそが、海兵隊を海兵隊たらしめたといえます。

今、私たちは、彼らが学んできた日本とは何なのかを改めて見つめ直し、そのうえで、変化し続ける現代社会において生かしていくことで、より良い情報社会を描いていくヒントとなるのではないでしょうか。

## 生命知——日本の武道に見る無限定環境に適応する知

暗黙的なコミュニケーションは、日本古来の「場」を共有するという考え方を基礎とします。伝統的な日本組織は、場の暗黙的なコミュニケーションによって、知を創造してきました。日本語で意思疎通を行う私たちにとって、「場」という言葉は馴染みが深く、それ故に、その重要性を見過ごしがちです。実際、２０１１年の東日本大震災の直後、人と人とのつながりが重視され、コミュニティとしての「場」が至るところで形成された一方で、なぜそれが必要なのかが十分に理解されないまま、当時つくられた多くの「場」は、現在衰退しています。社会がネットワーク化する今、「場」についての理解を深めることは急務といえます。野中のＳＥＣＩモデルは、組織のなかで知的創造が起こるプロセスについて説明しました。ここからは、より個と個の関係を掘り下げ、「場」について考えていきます。自分がいて、相手がいれば、そこに「場」が生まれます。場の哲学を研究する清水博は、自己(自分)と相手、そして自己(自分)と場の間に生まれる即興的な「ドラマ」に、生命そのものがもつ「生命知」を見出しています。

生命知は、日本古来の伝統芸能と武道に見出すことができます。伝統芸能における三道といわれる茶道、華道、書道、そして、武道における三道といわれる剣道、居合道、杖道は、すべて、自分と相手との間に生まれる「場」、そして、そのなかに生まれる即興的な「ドラマ」をいかにして創出していくかを追求してきたと解釈できます。清水はとくに、剣道の流派の一つである柳生新陰流に着目し、自分と相手との関係のなかで、相手を自分事化し、自らの望む未来を相手と共に創り出す極意について分析しています。その分析は、ネットワーク社会のなかで、不特定多数の人とどのように向き合っていくべきか、情報社会のなかで私たちはどのように生きていくべきか、現代社会において見過ごされがちな、コミュニケーションの極意についての視座を与えます。清水の著書『生命知としての場の論理——柳生新陰流に見る共創の理』(中公新書)における、柳生新陰流宗家第21世柳生延春との対話を参考にしながら、その極意についての分析を行いましょう。

剣道において、一方的に相手を斬るような力業であれば、相手がどういった状態であろうが、相手よりも速く、そして強く攻撃を仕掛けることができれば、相手を屈服させられるのではないかと考えられます。しかし、柳生新陰流の教えは、力業を無力化します。どんな截合(斬り合い)においても「無形の位」という、どんな状態をも自由自在に生み出せる状態で敵と対峙します。そして、相手の動きを見て、自らの状態を転じる「転(まろばし)」を行います。この際に重要なのが「先々の先」と呼ばれる、敵の未来を予測して誘導していく行為です。無限の動き方があるなかから、相手の心理を読み、相手を意のままに操ることなど容易ではありません。ここにこそ、柳生新陰流の極意が隠されています。

柳生新陰流は、戦いにおいて「敵と我の心を一つにする」ことを教えます。自分も相手も、どちらも「勝ちたい」と思っているのであれば、当然「打たれまいと対決」し、「敵もシナリオを変えてしまう」ため、「お互いに疑心暗鬼になり、永遠の迷いに陥」ります。こうした状態に陥ってしまっては、ますます相手の心理を読むことは難しくなり、あとは速さや強さを駆使した力業で相手を屈服させるしかなくなります。それに対し、柳生新陰流は「迎え」という所作により、相手と自分が「心を一つに」して、相手が望む未来をそのまま迎えることを教えます。これによって、相手の未来の状況を限定することができるのです。

「迎え」によって、相手が望む未来、すなわち、相手が勝とうとするシナリオをそのまま実現させることによって、相手の動きは、自分にとって予測可能なものとなります。相手が自由意志で決断している以上、相手は疑心暗鬼に陥ることなく、その動きは限定可能なものとなるのです。つまり、相手をそのまま受け入れることによって、自分もその動きに合わせることが可能となり、柳生のいう「敵と我の心を一つにする」状態が実現されます。心を一つにした状態を、清水は、敵か自分かという視点を超越した「場」という視点で説明します。自分と相手との境界を超越した場所中心的観点（すなわち、自分視点ではなく、場所全体を見渡せる視点）に立ち、それに基づいて、改めて自己中心的観点（自分視点）から見ることで、自分と相手による即興的なドラマをつくり出すことができるのです。

こうした即興的なドラマは截合に限った話ではなく、日常にある交渉事をはじめ、あらゆるコミュニケーションの基礎といえます。コミュニケーションなしに、自己中心的に強引に何かを推し進めようとしてもうまくいきません。自分か相手か、といった視点を超越した場所中心的な視点に立ったうえで、相手の自由意志を尊重することで、未来を限定し、そこにドラマを展開していくことができます。即興的なドラマは、今、目の前で実際に向き合っている相手を無視し、「常識」や「固定概念」にとらわれていては生み出せません。常に、相手との無限の関係に対応できる「無形の位」で待ち構え、そのうえで、場所中心的観点に立つことで初めて実現できます。日本古来の「場」という考え方を深めることは、情報社会である現代においても、人と人との間のコミュニケーションを改めて見直す契機になるのではないでしょうか。

## システムと場——新しい社会への可能性

ネットワーク化された情報社会は、私たちを「画一化」に向かわせフィルターバブルに閉じ込めるのに対し、日本に古くからある「場」という考え方は、組織において、そして、自分と相手との関係のなかで「知」をつくり出すことを、ここまで説明してきました。「場」はそれだけでなく、自分自身の存在そのものを確かなものにする力をもちます。

## 失われていく自己感とその回復

脳損傷患者を数多く観察し、「自己感」について研究しているアメリカの神経科学者アントニオ・R・ダマシオは、アルツハイマー病患者を観察することで、「自己」と「意識」についての理解を深めています。ダマシオは、著書『無意識の脳 自己意識の脳――身体と情動と感情の神秘』(講談社)のなかで、親友がアルツハイマー病を患った経験を紹介しながらその症状の進み方を記述します。親友は、ダマシオ本人を認識することはできなくとも、部屋のあちこちに車椅子を動かすことはできました。そして、妻の顔写真を見ても、それとわからず、四つ折りにするだけでした。ただ、その動作をしながら、何かがおかしいと感じていた様子でした。末期には、彼は、何も感じることなく、無意識の儀式として、その動作をするようになっていったといいます。

ダマシオの分析によると、「自己感」にはいくつかの段階があり、それによって「意識」が構成されているといいます。自己感、すなわち「私が私であること」を確かにしているものが何なのかを知ることは、現代社会で失いがちな「私」を取り戻すという意味でも重要です。まず、自己の根源は「原自己」といわれ、生存のために、身体の状態を継続的かつ非意識的に安定した状態に保つ、身体全体の活動状態を指します。私たちの生存そのものといえる原自己を最下層とし、その上に「意識」

と関わる「中核自己」や「自伝的自己」が構成されていると考えられています。「中核自己」は、「今」「ここ」の自己であり、過去でも未来でもなく、今まさに自分が自分としてあることを自覚できる「自己」だといえます。そうした中核自己を自覚する意識が「中核意識」です。そして「自伝的自己」は、「あなた」と「私」というアイデンティティーに関わるものであり、また、これまで自分が生きてきた過去と、これから生きていくであろう未来とを自覚し、また、外界を認識しながら自分というものを認識し、自分を自分史という歴史のなかの一点の時間に位置づける「自己」だといえます。そうした自伝的自己を自覚する意識が「自伝的意識」です。

こうした重層的な自己の構造は「場」の哲学においても見られます。清水は浄土真宗などの日本で連綿と受け継がれる思想に基づき、自己を重層的にとらえています。清水によると、認知症患者が最初に失うのは「認知的自己」であり、認知的自己が失われても「感性的自己」が残り、それを失って最後に残るのが「霊性的自己」であるといいます。そして、自己の根源である霊性的自己の働きによって認知症の症状が改善することがあるといいます。

自己と場所は、鍵と鍵穴のような関係であり、互いに切り離すことのできない、非分離の関係にあります。非分離な自己と場所は、自己中心的な自己と、場所中心的な自己という関係でとらえることができ、お互いがお互いの形を規定していく仕組みを「相互誘導合致」と呼び、そうした仕組みから自己をつくり出すサイクルを「自己言及サイクル」と呼びます。生命という現象を、生命という状態を能動的に持続させていく「働き」ととらえることで、生命を、一つの「場」のようなイメージでとらえられ、そうした生命というものを安定した状態に保つ能動的な働きとして「自己」という働きがあるというイメージをもつことができれば、「場」のなかで「自己」が保たれ、そして発揮されるイメージをもつことができるのではないでしょうか。

## 自己を取り戻す場とシステムのあり方

自分の状態によって場が変化し、場の状態によって自分自身が決められる「自己言及サイクル」の働き——時として「場の空気を読む」などとも表現されるこのサイクルは、自分が自分であることを確かなものにする重要な働きをもちます。そして、自己言及サイクルの研究から生まれたロボットアームの動きを観察していくことで、私たちの人間社会のあるべき姿が見えてきます。

自己言及サイクルのメカニズムを開拓してきたコンピュータ科学者の矢野雅文らの研究グループは、生命が「場」に適応していくメカニズムを分析し、想定外の事態に自ら対応することができるロボットアームをはじめ、自律分散的に動作させる制御の仕組みを開発しています。矢野らのグループが行った研究は、一つの技術開発という枠を大きく超え、情報社会たる現代社会において、私たちがどのように生きていくべきかに対する重要な示唆を与えてくれます。

ロボットアームは、細長いいくつかのアーム部分と、それらをつなぐ、回転する関節からなり、関節をどのように動かすかによって全体の動きが決まります。たとえば、腕全体を動かして、手先に鉛筆をもたせて円を描くような動きは、一つ目の関節を固定し、二つ目の関節を……というように、指令を与えることで達成できます。ロボットアームは、想定通りの動きをプログラムで書き下すことによって、想定通りの動きを実現するのです。しかしながら、実際にロボットアームが動く空間である現実世界は「無限定環境」です。常に想定通りの動きができるとは限りません。ある関節がさびついて動かないということがあれば、すべりが良すぎて動きすぎるということもあり得ます。ある関節を人間が押さえてしまい、動かなくしてしまうような状況も考えられます。そのような、想定外の状況一つひとつをプログラムで書き下すことを考えると、プログラムは次第に長く、複雑になっていくだけでなく、事前にすべての状況を想定することは不可能なので、どれだけ複雑なプログラムを書いても、どこかで限界が訪れてしまいます。

　矢野らが解決したのは、一つひとつの動きをプログラムしていくという方法論そのものがもつ、どれだけプログラムを書いてもすべての状況を事前に想定することはできないという問題でした。矢野らのロボットアーム制御の仕組みは「（各関節を）まず動かしてみる」ことによって、それぞれの関節が「目標とする動きに対して自分自身がどの程度貢献できているか」を定量化し、そのうえで、それぞれの関節が最も調和的になるように、すなわち「動かすべき関節が最も大きな貢献ができるように」関節の動きを調整していくという仕組みを採用しています。これは、それぞれの関節が、柳生新陰流の「無形の位」で別の関節と対峙し、相手を迎え入れる（別の関節の動きを観測する）ことで、「先々の先」を描き（別の関節と自分の関節のそれぞれがどういった貢献をすることで理想的なアーム軌道を描けるかを考え）、即興的なドラマを展開していく（理想的なアーム軌道を実現していく）という流れを再現しており、生命システム、そして、人間社会のなかでのシステムのあり方に示唆を与えます。

　矢野らのロボットアームは、無限定環境に適応することを前提に設計されていることから、「不測の事態」への対応をシステム自らが行うことを可能にします。まさに「失敗」などの不測の事態に気

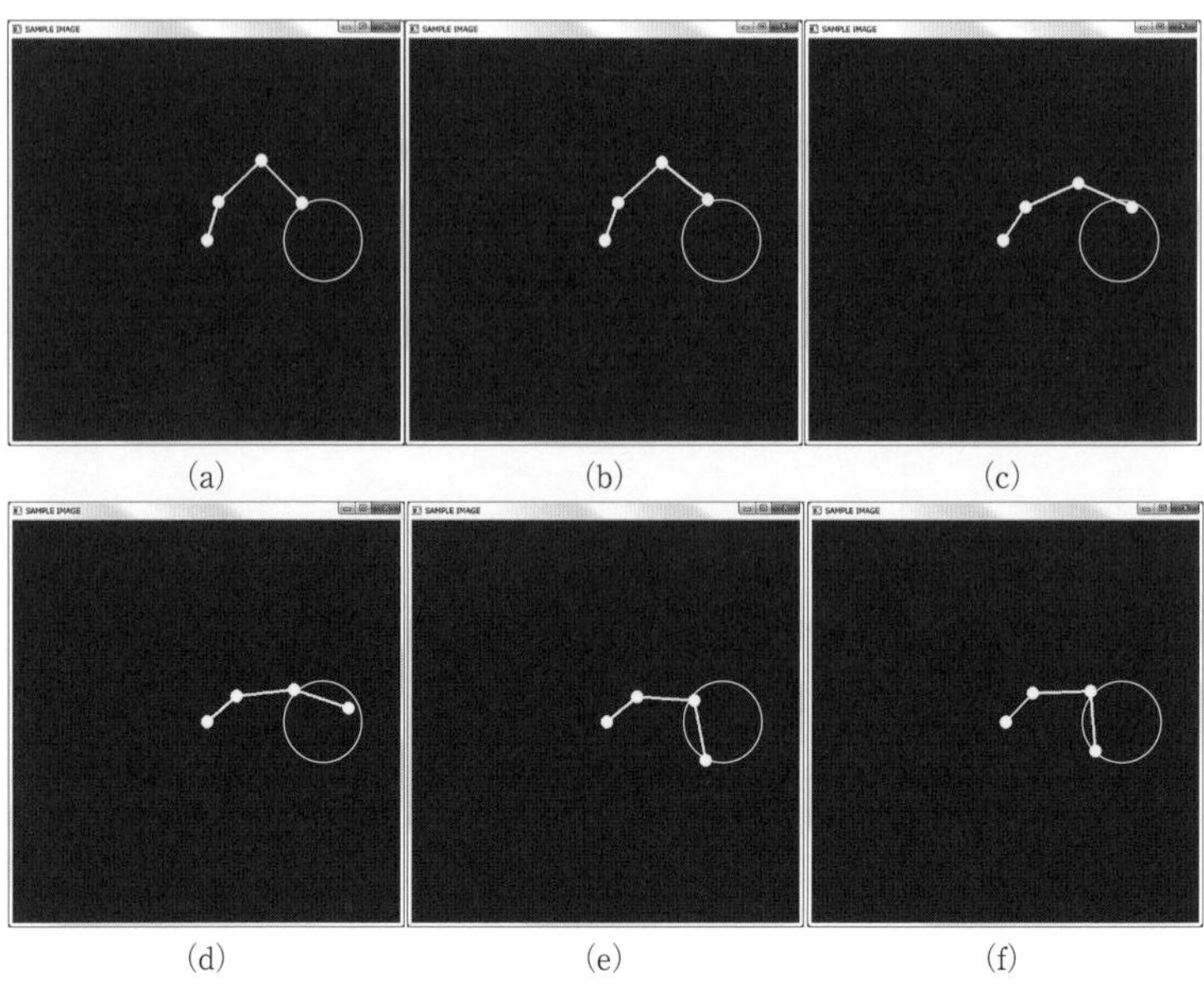

図 **3-2**　生命システムに基づく動作原理を利用したロボットアーム

づき、そのなかで、目的とした軌道を描くために各関節が自らの役割を時々刻々と自己変革させていくことができるのです。たとえば、アームの長さが変化したり(想定外であったり)、ある関節が突然故障しても、その状況に対して最適な動きを自律的につくり出し、全体として目的とした軌道を描き続けるのです。まさに、細胞一つひとつが不揃いであっても、生命システムが、全体として目的を達成できることと同等の動作原理を実現しています。

矢野らのロボットアームを再現した様子を図3-2に示します。これは、矢野らの研究チームがまとめた研究成果を、著者が再現したロボットアームの様子です(いくつかの設定は著者が独自に行っています)。図の円は、「アームの先端が描く目標」であり、白丸で表現された各関節が、白線で表現されたアームの先端を、円を描くように回転する速度（角速度）を調整していきます。各関節の回転する角速度がどのように調整されていくか、というところが、まさに、このロボットアーム制御の本質的な部分です。「自己言及システム」として働く各関節は「協調」と「競合」という2種類の相互作用によって、円を描くのに最も適した角速度を、「動かすべき関節が最も大きな貢献ができるように」調整していきます。変化していくアーム全体の姿勢に対し、その瞬間に最も適した関節が、最も適した貢献をしていくように、それぞれが角速度を調整していきます。こうして、それぞれの関節が適切に協力し、競争し合うことによって、「円を描く」という目的を、今自分の置かれた環境のなかで達成していくのです。

矢野らの開発したロボットアームを見ると、私たち人間の社会に対する示唆を得ることができます。私たち生命にとって、最も大きな目的は「生きる」ということです。その大きな目的を、ときには協力し、またときには競争し合いながら、周囲の人びとと、そして環境との調和的な関係をつくりながら達成しているのが私たち人間であり、生物全体なのではないでしょうか。

私たち生命をもつ人間の身体は、60兆もの細胞からなる「群れ」といえます。それらが暗黙的なコミュニケーションを行いながら、全体としては一つの身体として、一つの意思をもって動いています。その一つひとつの細胞は、不揃いで、同じ動作を再現できるかどうか心許ない、頼りないものです。しかしながら、そうした不揃いの細胞たちが、ときに協力し合い、ときに競争し合いながら、群れとして動くことによって一つの「村社会」を形成し、それぞれが一つの生命体として生き、同時に一つの身体を形成しているのです。これは、失敗に「気づく」ことすらないごみ収集ロボット（125頁）

とは対照的です。

矢野は、生命システムを、自律的に外部環境との調和的な関係をつくり出し、調和的関係を拘束条件とすることで、自らの状態（内部状態）のあり方を決めていくものであると考えています。「今、ここ」の環境が決まることで、自分自身の状態が決まり、自分自身の状態が決まることで、外部環境が決まっていくという、自分自身を中心としたサイクル（自己言及サイクル）がうまく回っているのが「調和的関係が築かれている」状態です。

システムを「画一化」して設計するだけでは、何か不具合があったらすぐに止まってしまい、常に、メンテナンス人員を必要とします。しかしながら、「少しくらい壊れても他が助けてくれる」システムであれば、不測の事態があっても動き続けることができます。自己言及システムは、統計化され、ネットワーク化された現代社会だからこそ、必要とされています。その価値は、単に高度なシステムを設計できるということに留まりません。「少しくらい壊れても他が助けてくれる」仕組みを理解し、社会に取り入れることによって、システムと共生できる新しい情報社会の生き方を描いていくことができるようになります。システムと場との隔たりがなくなり、また、システムと人間の隔たり、そして、組織と人間との隔たりのない「生きやすい」社会を創造していくことが、これからの時代に求められていることなのではないでしょうか。

# 4 心の解読と、身体性に基づく情報科学の未来

「単純作業はＡＩに任せ、人間は創造性のある仕事を」という議論を行う際に避けては通ることのできないテーマの一つに「心の解読」があります。ＡＩやコンピュータ（機械）を使うことで、人間が創造力を発揮する、すなわち、人間の能力を高めたいのであれば、「脳から直接指令を送れるようにすればよい」というアイデアは、歴史上、繰り返し提唱されてきました。脳を解析することで「心を読む」手法は、脳科学の分野では必須です。そのため、脳科学の分野を傍から見ると、「脳内の信号をすべて解析できれば、機械に直接指令を送れるだけでなく、脳と同じ動きをするＡＩがいつかつくれるのではないか」と考える人も少なくありません。しかし、脳について理解を深めるとわかるのは、心の一部は読めても、すべてを理解することは原理上不可能だということです。脳への理解を誤れば、技術の使い方を誤ります。脳への正しい理解を得ることは、情報社会を生きる私たちにとって必須といえます。

古代から人類は、人の心を読む、という夢に魅了されてきました。近年、「ブレインデコーディング（脳の解読）」の研究が盛んに行われています。脳の血流などの活動を計測し、考えているときにはどのような脳活動が見られるのか――脳のどの部位が盛んに活動し、どの部位とどの部位がどのよう

に関係し合っているのかを観測することで、考えていることや、夢のなかでどのような風景を見ているかについて、少しずつ、知ることができるようになっています。それだけでなく、「思う」だけで、ロボットや家電を動かすこともできるようになってきています。身体が不自由な人にも、「思うだけで」動くロボットスーツやスマートフォンなどといった機械は、すでに実現しているのです。

一方、「身体拡張」という言葉があります。私たち人間や生命が認識する自らの「身体」は、時々刻々と変化し、それは拡張し得るものであるという考えです。たとえば、私たちが箸をつまんで食事を行う際、箸を通して得られる箸の先の感覚は、指の神経に伝わり、脳を含む身体全体で共有されます。箸を用いる際に、私たちの身体は箸の先まで伸びているといえます。このように、私たちの身体の認識範囲が拡張される行為は「身体マップの拡張」と表現されます。身体の認識は人によって大きく異なり、指先の細部にまで精神を集中させる職人の認識は、常人のそれとは比べられないほど微細なものと考えられます。今、身体の拡張は、「心の解読」を行う技術によって、脳から義手やロボットを動かすことを可能にしています。「心」の理解は、私たち人間の能力そのものを新たに開発できる可能性を秘めています。本章では、心の解読や身体の拡張とはどのようなものなのか、何が実現されており、そこにどのような課題があるのか、またその先にはどのような豊かな未来が待っているのかについて考えていきましょう。

２０１７年、アメリカの投資家であるイーロン・マスクは「人が脳から直接コンピュータをコントロールできるようになる技術」を開発する企業、Neuralink社の発足を公開し、同社ウェブサイトでプレゼンテーションを行いました。マスクは「いずれＡＩが人間の手には負えなくなる」ことを危険視して「人類がＡＩと拮抗できるようにする」対抗手段として、人間の脳とコンピュータを直接接続することによって、人類が「ＥＩ（拡張知能）」を得る未来を思い描いています。

マスクの試みや表現は、センセーショナルではありますが、そのアイデアそのものは目新しいものではありません。マスクの試みは、ある意味で「狂気」とも感じられるかもしれません。しかし、そもそも科学は、先人たちの「狂気じみた」チャレンジの上に成り立っています。多くの科学者による脳に関する知見を踏まえると、私たちの未来には、マスクのいう「人類がＡＩと拮抗できるようにする」という単純な視点ではない、ある意味で期待を裏切る、またある意味で可能性に満ちた未来が広がっています。

神経科学者の櫻井芳雄は、著書『脳と機械をつないでみたら――ＢＭＩから見えてきた』（岩波書店）のなかで脳と機械をつなぐＢＭＩ（ブレイン・マシン・インターフェース）に関する研究の難しさについて指摘しています。櫻井は、神経科学によって「個人の嗜好、空想、思想などの高次な情報を脳の活動から解読する」といった心の解読を行うには「変革を進めながら、長い時間をかけて進展しなければならない。解明できるか否かまったく未知の難題を前にして、議論すべき命題を絞ることはほとんど不可能であろう」と、その研究の複雑さを表現しています。

ＢＭＩ研究最大の難題は「脳の情報表現の解明」といわれています。「脳の情報表現」とは、私たちが何らかの思考を行っているとき、どのニューロンがどのように活動するのか、そして、その裏側にはどのような原理が働いているのかに関する法則を指します。脳は、そのほとんどが謎だらけであり、マスクの主張するように、脳に電極を埋め込んで、その活動状態を取り出し、コンピュータとつなげただけでは、ただ単に「脳と機械をつないでみた」だけであり、何か意味のある情報のやり取りができるとはいえないのです。

そうはいっても、脳に関する新しい技術開発には大きな魅力があります。櫻井は、ロボットスーツのＢＭＩによる制御などの例を紹介し、腕を伸ばしてものをつかむなどの比較的単純な「運動の意図」であれば、最先端の技術で解読可能としています。

21世紀に入り、脳研究は大きく加速しました。２００2年『ネイチャー』誌に掲載された論文に「リモートラット」が登場します。生きたラットの脳に電極をつなぐことで、ラットをラジコンのように操作できたのです。大脳の体性感覚野に電気刺激を与えることで、ラットはヒゲに刺激を受けたように感じます。同時に快楽中枢である内側前脳束に刺激を与えることで、たとえば、右側のヒゲに刺激を受けると快楽を感じるように操作できます。このように、ある特定の方向に誘導するように快楽を与えることで、望む方向にラットが動くように操作できることがわかりました。２０１7年に「アリの脳を乗っ取る寄生虫」が発見されましたが、それと同様のことが、脳とコンピュータをつなぐことで実現できたのです。

脳の研究は、私たちが「どんな夢を見ているのか」という、夢の解読をも可能にしました。２０１3年、ＡＴＲ脳情報研究所・神経情報学研究室室長の神谷之康（かみたにゆきやす）らのグループは、睡眠中の人間の脳活動パターンから、夢の内容を解読することに成功しました。彼らの行ったことは、夢に含まれていた物体を、本、車など、約20の物体カテゴリーに分類するパターン分類アルゴリズムの開発でした。fMRI（機能的核磁気共鳴画像）で睡眠中の脳活動パターンを計測し、計測時に見た夢に含まれる物体のカテゴリーを分類し、脳活動パターンと、夢に含まれる物体との相関を計算することによって、新たに夢を見た際に、脳活動パターンから夢に含まれる物体を予測しました。もちろん、「夢の解読」といっても、実際は、夢に20の物体が含まれるかどうかを予測するにすぎず、あらゆる夢の解読ができるわけではありません。しかし、見られるはずもなかった他人の夢を、少しでも覗き見ることができるようになったのは興味深いことです。

光を使って「記憶を書き換える」実験も行われています。2014年、理化学研究所の脳科学総合研究センター-RIKEN-MIT神経回路遺伝学研究センター長の利根川進らの研究グループは、光を使って記憶を書き換えることに成功しました。具体的には、「嫌な出来事の記憶」を「楽しい出来事の記憶」に置き換えたのです。

記憶は、場所に関するものは海馬に、「嫌」「楽しい」などの情動に関わるものは扁桃体に蓄えられます。ある小部屋で電気ショックという「嫌な記憶」を植えつけられたマウスの海馬に光を照射しながら、同じ小部屋で異性と遊ばせると、同じ場所の記憶が「楽しい記憶」にスイッチすることが示されたのです。もちろん、記憶そのものが真新しいものに「改竄」されるのではなく、あくまで記憶に対する「意味づけ」が変わるというものなのですが、この発見は、トラウマの解消などへの展望が期待されます。

さて、このように、脳研究を通した脳の理解は日進月歩で進んでいる一方で、そのほとんどは、まだ「未開拓」の分野であり、だからこそ、人を魅了するのかもしれません。そして、脳研究最大の難題は先述した「情報表現」です。私たちの思考は脳のなかでどのように表現されているのか、どのような形で「記憶」として保持されているのか、「感情」とは何なのか、「意識」とは何なのか。それらすべての、脳に関する根本的な疑問は、「情報表現」に集約されるといっても過言ではありません。それでは、情報表現とはどのようなもので、どのようにすれば解決するのか、その展望を考えていきましょう。

## 身体性――電脳化の抱える課題を解く鍵

私たちが世界を認識するとき、脳内ではどのような「情報表現」が行われているのでしょうか。私たちがものを「見る」プロセスを見ていくことで、情報表現の研究に潜む難しさを解説していきます。図4－1は、脳の視覚系の情報処理の経路図です。ものを見ようとして目を開くと、飛び込んでくる映像(光)は、大きく二つの経路に分かれます。ものの「形」に反応するものと、「動き」に反応するもので、それぞれ「腹側経路」と「背側経路」と呼ばれます。重要なのは、目に入って来る光は、ものの「形」と「動き」という二つの特徴に分かれて認識されているということです。それら視覚野全体の経路は詳細に調べられており、形は「線分」に反応する神経細胞が、動きはそれらの時間変化に選択的に反応する神経細胞が、それぞれ発見されています。視覚情報は、こうした経路を通して「表現」されているのです。

そう聞くと、「情報表現」に関する問題はほとんど解かれているように思えます。しかしながら、重要なのは、それら別々の経路で表現された情報がどのように統合されて一つの「もの」として認識されるのかという問題です。別々の情報を統合する問題は「結びつけ問題」と呼ばれます。たとえば、空を眺めていて上空からボールが飛んでくるとき、「何かが飛んできている」という動きに関する情報と、「それは球状のボールである」という形に関する情報が脳内で統合されていない以上、私たちの脳内では混乱が生じてしまうはずです。しかし、現実的には、混乱は生じず「ボールが飛んでくる」という一連の情報として認識することができます。私たちの脳内では、どのように情報を統合しているのか。結びつけ問題は、情報表現に関する最大の難題です。

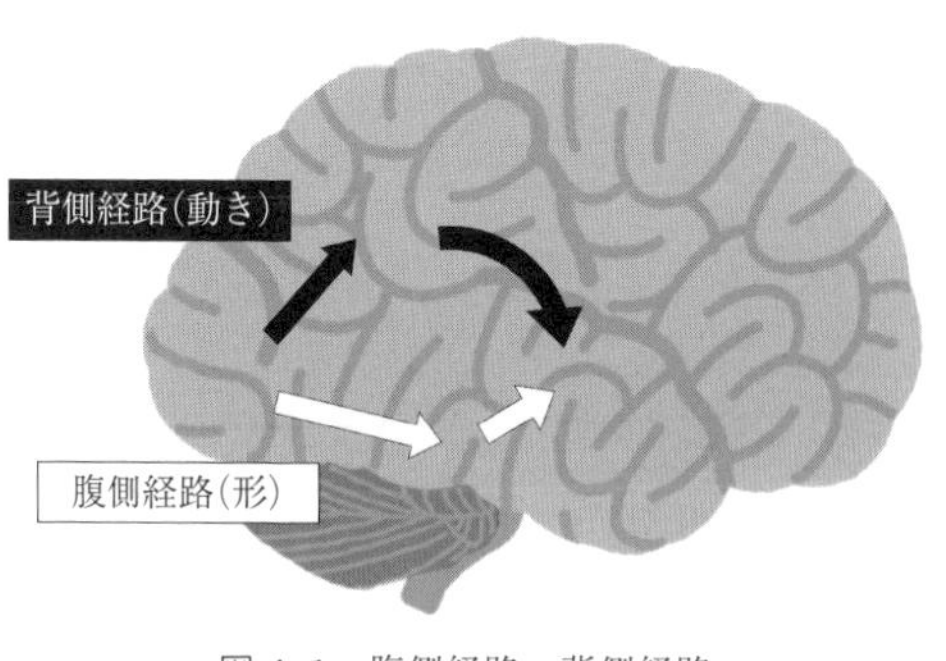

図 **4-1**　腹側経路・背側経路

「ボールが飛んでくる」のを見るという、私たちが何気なく行っている動作には、他にも多くの謎が潜んでいます。そもそも、なぜ私たちは、空全体を眺めるだけで飛んでくるボールに「注意」を向けることができるのでしょうか(図4-2)。私たちの目は、違和感を覚えると、そこに「注意」を向ける働きをもっています。そうした働きは「選択的注意」と呼ばれますが、脳内で、どのようにして選択的注意が実現されているのかについては、十分に理解されていません。そもそも、ある一瞬の「空の様子」を画像にしても、そこにはバラバラの画素が描かれているだけで（図4－3）、ある画素が「空」なのか「ボール」なのかに関する情報は描かれていないのです。それらの画素情報から、どのようにして情報を結びつけて、ボールと判断しているのか、どのようにしてボールに注意を向けているのかについては、十分に理解されていないのが現状です。実際、自由自在にものを見て、必要なところに注意を向けるようなロボットは、未だ開発されていません。

図4-2　選択的注意

注意に関して興味深いのは、目に飛び込んでくる視覚情報ばかりではありません。耳からの聴覚情報についても重要な「選択的注意」に関する事柄があります。「カクテルパーティー効果」と呼ばれる現象があります。パーティーなどの雑踏のなかで、自分の名前が呼ばれたり、話題に上ったりすると、どういうわけか、そこに注意を向ける現象です。これは、情報処理の観点で考えると不思議でなりません。雑踏のなかで、たとえ自分の名前が呼ばれていたとしても、その音は、他の音よりも大きくも、特徴をもつ何かでもありません。さらに、私たちは自分の名前について常に（意識的に）注意を向けているわけでもありません。無意識下で行っている何らかの情報処理が、自分の名前に対する「意識」を呼び覚ましているようにも感じられます。

図 **4-3**　画素が描かれた空

このように、注意や情報表現に関しては、私たちの「意識」にまで踏み込む必要のある複雑な問題であり、それ単体で解くことは不可能です。カクテルパーティー効果については２００８年、ＮＥＣ共通基盤ソフトウェア研究所の研究グループが「人間の感覚に近い映像音声視聴技術」として開発を進めるなど、世界でも多くの開発実績はあります。しかし、実際のところ、28個のマイクを使ってようやく実現できたのが「話者分離」という、複数の話者のうち誰が話しているのかを特定することでした。人間のように、自在に注意を向けるという「意識」のようなものをもつロボットや機械は、まだまだ実現されていないのです。

それでは、情報表現という難題は、どのように考えれば解くことができるのでしょうか。さまざまな理論が提唱されていますが、筆者は第一に「身体性」を考えなければ、この問題を解くことはできないと考えています。すなわち、私たちは、身体そのものを通して世界を見て、聴いて、感じているのではないかということです。身体性についての理解を深めるために、１９６０年代にアメリカで行われた「ゴンドラ猫」の実験を見ていきましょう。

１９６３年、アメリカで2匹の仔猫を使った有名な実験が、ヘルドとハインという二人の学者によって行われました。歩けるようになったばかりの2匹の仔猫（生後8〜12週）が、１日３時間、図４-４のような周囲を縦線で囲まれた装置の中に入れられ、互いにつながれている状態にあります。片方の猫は自分で動き回ることができ、もう片方の猫はゴンドラの中に入れられていて、自分で動き回ることができません。ゴンドラは、自分で動ける方の猫の動きと連動し、点対称の動きをするような仕掛けになっています。つまり、２匹の猫の見ている景色はまったく同じ縦線の繰り返しであり、唯一の違いは、自分の意思で動いているかどうかだけでした。この唯一の違いが2匹にもたらした結果は、非常に興味深いものでした。

この装置から解放された2匹の猫に、ある視覚テストを行ってみると、驚くべき事実が明らかになりました。自らの意思で動き回ることのできる「能動的な」猫の視覚は、正常に機能しました。つまり「世界を知覚する」ことに支障をきたすことはありませんでした。一方、ゴンドラに入れられ、自らの意思で動くことを禁じられた「受動的な」猫は、見ようとする行為自体を行えたものの、視覚刺激に対する反応をすることができませんでした。つまり、受動的な「ゴンドラ猫」は、空間認識能力が正常に機能せず、モノにぶつかったり、障害物を避けることができなかったり、リーチも不適切であったり、という状態だったのです。

図 **4-4**　ゴンドラ猫の実験

ゴンドラ猫の実験は、私たち生物が、視覚情報によって空間を認識する能力（どこにものがあるかを判断する能力）を身につけるには、視覚情報だけでは不十分で、能動的な運動を必要とすることを、私たちに教えてくれます。視覚と運動という、独立して見える二つの機能は、互いに切り離すことができないだけではありません。ゴンドラ猫の実験は、「世界は、自ら能動的に働きかけることではじめて認識できる」ということを教えてくれています。

ゴンドラ猫の実験の「情報表現」に関しての説明は、後述する「共時的秩序の法則」(166頁)という、自らの身体の動作と、感覚による知覚に、時と場を共有することによって秩序が見出されるとする法則によって得られます。私たち生命は、身体に基づいて環境との関係を認識しています。環境との関係の認識は、自分の意思で能動的に動く猫のように、自らが動くことで積極的に(主体的に)つくり出されるのです。私たちは、身体をもつからこそ、同時刻的に「見ながら聴いた」ことや、「手を動かしながら感じた」ことを理解します。そして、自分の手の長さよりも遠いか近いかで、「手を伸ばすべきか、それとも、一歩足を踏み出してから手を出すべきか」という、世界の認識と身体の制御を同時に行います。環境と身体が、時間と空間を共にするからこそ、私たちは世界を認識することができ、同時に、身体を制御しながら、変化する環境に適応していくことができます。そのとき、どの神経細胞が発火したかは重要ではなく、むしろ、同時に発火したのか、順々に発火したのかなど、時空間に関する情報を統合していくことこそが重要なのです。そして、その統合に関しては、脳の神経細胞の活動パターンだけを見ていても埒が明かず、どのような身体運動を行っていたのか、さらにいうなら、そのとき、どのような能動的な意思が働いていたのかを理解することが何より重要になります。

ＢＭＩ研究が進めば、すべての脳活動が記録でき、結果として「すべての記憶を保存できる」ようになることを期待する人は少なくありません。しかしながら、脳活動だけをどれだけ記録できても、そこに身体に関する情報がなければ、意味のある情報とはいえない場合も多いのです。たとえば、身体に関する情報であれば、脳活動よりも、むしろ同じ神経細胞であっても身体に直接関わる筋電位との関連が重要です。神経細胞は、身体全体に張り巡らされたネットワークであり、脳だけを見ていても、それも大脳という「表面」だけを見ていても理解できません。そもそも、脳を理解するためには、「生存脳」といわれ、生存本能に直接関わる「脳幹」部分の理解が不可欠です。こうした脳の構造の理解に関しては拙書『人工知能の哲学――生命から紐解く知能の謎』に譲るとして、ここからは、「身体性」に着目することで開ける科学技術の可能性について論じていきます。

## 身体能力の拡張――勘の研究に学ぶ新たな可能性

昔話や伝説には、常人離れした人の所業がつきものです。現在、「身体拡張」と呼ばれる技術は、ロボットスーツなどの力を使って人間の能力を拡張しようとするものです。前述のマスクは脳チップによってコンピュータとの通信を行っていますが、これもその一つといえます。しかしながら、そうした特殊な技術を用いることなしに、私たちの身体が常人離れした能力を獲得し得るとすればどうでしょうか。技術の使い方そのものがひっくり返るのではないでしょうか。そうした科学技術そのものへの見方を一新する注目すべき研究が、80年以上前の日本で、すでに行われていたのです。

20世紀の心理学者であった黒田亮は、複数の行為を一度にこなす常人離れした人間の能力について探究しました。著書『続　勘の研究』（講談社学術文庫）のなかで、身体と心理との関係に関する研究を紹介しています。日本には、伝統的に、八人芸といわれる、八人分の芸を同時に行う芸人がいたといいます。実際には、芸をする姿そのものは人目に晒さなかったそうですが、ひとりで太鼓をたたき、笛を吹き、雨を降らせる音を鳴らし、大勢の人が駆けていく光景を聴覚的に髣髴(ほうふつ)とさせるなどの芸を披露したそうです。聴衆には、ひとりでどうしてこんなにたくさんの芸当を同時にこなすか、まったく不思議だったそうです。黒田はほかに「脳の五重奏」と呼ばれる、日本語と英語を順番を逆にするなどして自在に織り交ぜ、同時に書写する所業や、聖徳太子の行ったとされる、8人や10人ともいわれる人数の訴訟を聞いたうえで一つひとつに正確に対処した所業に注目し、常人にも可能かどうか実験しました。被験者が視覚、聴覚、触覚情報によって判断し、さらに、左右別々の作業を行うことができるかどうかの実験です。

黒田の実験で、被験者の行う操作は次の通りです。

(左手の操作)

1. 1種類の鋼鉄球(パチンコ玉のようなもの)を一つの金属管の孔に投入する
2. 大小2種類の鋼鉄球を別々の金属管の孔に投入する

(右手の操作)

1. 目でスクリーン上に現れる赤/黒の円を確認し、それぞれに対応する電鍵を押し下げる
2. 目でスクリーン上に現れる奇数/偶数の数字を確認し、それぞれに対応する電鍵を押し下げる
3. 目でスクリーン上に現れる2種類の特定の数字を確認し、それぞれに対応する電鍵を押し下げる

(暗算)

1. 耳で聞いた1桁の数字3個ずつの足し算を計算する
2. 耳で聞いた2桁の数字2個ずつの足し算、および1桁の数字4個ずつの足し算を計算する
3. 耳で聞いた1桁の数字2個ずつの足し算を計算する
4. 耳で聞いた1桁の数字2個ずつの足し算、および1桁の数字3個ずつの足し算を計算する
5. 耳で1桁の数字10個と、10個の単語を交互に聞き、数は足し算し、単語は順々に暗記する

これらの複雑な操作を被験者は2週間にわたって行い、単純なものから徐々に複雑なものへと、段階的に移行していきます。その結果、この実験の被験者は口を揃えて次のようにいいました。「最初に最も困難を感ずるのは、金属管の孔の位置がどの辺であるかの見当をつけること」であり、その後、各動作の習熟に苦労はするものの、「ある程度の練習効果の到来とともに、作業につきまとった不確かさやぎこちなさがだんだん姿を隠し、これに代わって、心の平静状態が現われる」。実際、それらの様子は、カイモグラフ記録描線という運動記録を表す曲線を観測した結果、規則性が見出されたことによって、データとしても示されました。

最初にぎこちなかった動作にも、徐々に慣れていき、やがて「心の平静状態」を保ったままに、一連の動作を行うことができるようになった経験は、読者のみなさんにもあるでしょう。最初はぎこちなかった自転車の運転、パソコンのキーボードのブラインドタッチ、ゲームのコントローラーの操作、そして、車の運転の際の、歩行者の確認やハンドルやブレーキ、アクセルの同時操作など、枚挙に暇がありません。そして、スマートフォンのフリック入力なども、少しの練習で「まるで息をするように」心の平静状態を保ったままに行うことができるようになります。黒田はこれを「八面六臂の心の

働き」とし、「心の組織全体を一変させるというところに、学習の重大なる意義がある」としています（『続 勘の研究』）。学習という意味では、携帯ゲームなどを用いた「脳トレ」など、「知育ブーム」に火が点いた時期がありましたが、学習の重大な意義は、身体を自在に扱うことにより、心の組織全体を一変させるところにあるといえます。

身体を用いるという観点では、近年、「VR（仮想現実）ゴーグル」という、液晶画面を搭載したゴーグルを装着することで、3次元世界に身体全体が「没入」できるような感覚に浸れる技術が注目されました。「2016年はVR元年」などといわれ、多くの企業が安価でVR体験を行うことを可能にするVRゴーグルを発売しました。古くは1989年に一度は注目されたVRのブームが衰退し、再びブームが起こるも、結局はブームで終わって定着していないといわれています。しかしながら、利用シーンを限定すれば、建設現場などの危険な場所での作業などを疑似体験することで、「八面六臂の心の働き」といわないまでも、心の平静を保つ身体経験を積むことに、一定の成果を挙げています。

VRは、電話が「おしゃべり」によって市場を広げ、スマートフォンがSNSやゲームなどの多彩なアプリケーションによって世界中に普及したように、広く一般に普及するまではいかないかもしれません。しかし、人手不足が叫ばれている今、若手が身体経験を積み、職人にも勝る能力を獲得し得る手段として、今後注目される可能性は十分にあるでしょう。

## 記憶と感情——一度の経験から多くの学びを得る仕組み

「昨日の会議での決定事項はメモを取らないとすぐに忘れるのに、何年も前の出来事を、ふと思い出すことがある」

このような経験は、誰にでもあるでしょう。春になり、満開の桜を見ると、急に何年も前の入学式の様子を思い出したり、夏にお祭りの音を聞くと、子どもの頃の記憶が蘇ってきたり。そうした「身体感覚」を伴う記憶は、無味乾燥な数字や文字の羅列の記憶に比べ、はるかに強烈に、脳裏に焼きつけられます。その代表が「恐怖」を伴う記憶です。「トラウマ」といわれる恐怖記憶に至っては、身体に強く刻み込まれ、克服することは容易ではないといわれています。

八面六臂の心の働きをも可能にする、身体を伴う記憶は、コンピュータがアルゴリズムによって行う「機械学習」とは異質のものといえます。身体をもたない無味乾燥なデータから意味のある何かを見出すためには、平均値や分散値などという統計的な性質に頼らざるを得ません。そこに、外側から人間が「良いデータ」「悪いデータ」などの意味づけを行ったとしても、できるのは、「良いデータの統計的性質」「良いデータと悪いデータを統計的に適切に分ける境界線」などの統計的性質を見出すことのみです。統計的性質を見出すためには、単一のデータではなく、統計的性質を見出すに足る十分な量のデータがなければ、機械学習は困難です。

機械による情報処理は、「入力 ↓ 処理 ↓ 出力」という信号の流れを基本として構成されています。一方、身体をもつ私たちは、五感すべてを使って、物事を経験し、それを記憶として学習することによって日々成長を繰り返しています。「入力 ↓ 処理 ↓ 出力」という信号処理の流れに慣れ親しんでいると、見落としがちなのは、私たちの身体は常に、異なる感覚器から信号（五感）を受け取っているということです。それらの信号が何らかの形で統合されるからこそ、私たちは、目の前で話している人を見て、「今、自分が聴いている声は、彼が発しているもの」だということがわかります。しかしながら、「入力→処理→出力」という信号の流れだけを追っていくと、視覚情報と聴覚情報がどのように統合され、「彼が発している声」ということがわかるのかが説明できません。そこで重要なのが、情報を統合する身体の働きです。

私たちの身体は、60兆の細胞からなり、それらは、ばらばらになることなく、一つの身体として働いています。常に変化する環境のなかで、一つひとつの細胞が機能を失うことなく、かつ、別物として分離することなく、一つの身体としての働きをつくり出す様子は、即興劇にたとえられ、「いのちのドラマ」と呼ばれています。異なる感覚器から得られる信号に対しても、同様の働きが起こっていると考えられます。60兆の細胞が即興劇的な「いのちのドラマ」をつくり出すことが可能な理由は、それらが時と場を共有していることに他なりません。時と場を共有するからこそ、声を発している相手を見失うことなく、「今、目の前にいる人が口を動かし、声を発している。その声によって発せられる内容は、口の動きと耳に届く声から○○だということがわかる」というように、それぞれの信号がそれぞれの信号を補い合い、一つの情報として、私たちの脳、そして身体に届くのです。このように、時と場を共有することによって、情報の統合が起こる法則が、前述した「共時的秩序の法則」です。たとえば、自転車の乗り方を、身体を使って学ぶときや、外国語の話し方を学ぶとき、私たちは、それぞれの身体を同じ時と場のなかでどのように統合していくのか、その「共時的秩序」を学んでいるのです。

私たちは、身体によって物事を経験し、それを記憶として学習しています。すなわち、私たちは、身体を通して学びを得ています。かつて、情報処理の基本である「入力 ↓ 処理 ↓ 出力」という信号の流れによって理解がなされていた私たちの身体の仕組みは、今、身体すべてを通して学ぶ仕組みとして考え直され、多くの学術的発見と共に、その理解が進んでいます。その仕組みを理解することで、私たちが感情をもつに至った理由も見えてきます。ここからは、そうした学術的発見をヒントにしながら、私たちがなぜ、どのように学ぶのかについて考察を深めていきます。

## 身体で記憶する脳

私たちが、触ってものの感触をつかんだり、性質を知ったりしようとするときには、手や指を自由に動かします。こうした自分の意思で身体を動かす行為を「アクティブタッチ」といいます。近年、この行為がものを知覚するのに重要な役割を担うことがわかってきました。臨床発達心理士の山口創は、著書『皮膚感覚の不思議――「皮膚」と「心」の身体心理学』（講談社ブルーバックス）のなかで、アクティブタッチを「遠心コピー」という考え方を用いてわかりやすく説明しています。ここでは、山口の解説を要約しながら、アクティブタッチについての理解を深めていきたいと思います。

今、あなたの左上に、触れることのできる対象物があるとします。これに触れて手を動かすと、受容器と呼ばれる熱や圧力などを知覚する細胞の器官によって、対象物が信号としてとらえられます。それらの信号は、まず、大脳の体性感覚野という領野に届けられ知覚されます。その感覚を得ながら、同時に手先を動かすことを考えるとします。この「手先を動かす」という手先への指令そのものが、さきほど得た信号を知覚する際にも用いられます。指令そのものが、信号を知覚する際に利用される仕組みが遠心コピーです。この仕組みがあるからこそ、手がブレるなどして予測できない動きをしたせいで、予測とは異なる信号を受け取った際にも、そのブレを感じることなく手先からの信号を知覚することができます。すなわち、運動指令の情報が感覚野にも伝わり、感覚そのものを調整しているということです。その後、行動の指令が大脳から発せられることで、どのような運動をするのかが決められ、それによって手先が動かされます。このように、私たちは、手を動かし、それによって感覚を得、それを受けたうえで次の行動を決める、といったサイクルによって、運動と知覚を一体のものとしています。身体を通して外の世界を知るということは、それらが協働して初めて可能になるのです。

アクティブタッチの仕組みを理解することで得られるものは大きく、社会のさまざまな仕組みを考え直す土台にできると考えられます。アクティブタッチは、私たち人間にとって「身体で覚える」「身につける」ということにどのような意味があるのかを教えてくれます。私たち人間は、そもそも身体を通して学ぶようにできています。このため、身体感覚を取り除いてしまうと、運動と知覚との協業が崩れてしまう可能性があります。コンピュータをはじめとする情報処理が基本とする「入力→処理→出力」の信号の流れ自体は、私たち身体の信号の流れの一部でもありますが、より重要なのは、情報処理が、アクティブタッチの仕組みを備えることです。これは、学びの場においても同様です。

昨今、「アクティブラーニング(能動学習)」という考え方が、教育現場に盛んに取り入れられようとしています。生徒が受動的に知識を詰め込まれる教育の限界から，生徒の積極的・能動的な授業参加への姿勢を養うことを目的として，注目され始めました。教育現場では，新しい考え方が突然導入され，困っている教育者も少なくないようです。能動的な学習とは何なのか，どのようなカリキュラムを導入すればよいのか，という声が至るところで聞かれます。能動的な授業参加はなぜ必要なのでしょうか。アクティブタッチを通して見出すことができる「身体を通して学ぶ」という，人間を含む生物の記憶と学習に対する根本原理への理解が不可欠です。身体を通して学ぶことで，能動的に外界と関わり合い，多くの学びを得ることができます。「身体で学ぶ」こと自体は，伝統的な学びの場でも行われていたことであり，それこそを大事にした学びの場があれば，人間としての成長を支える教育の場として申し分ないのではないでしょうか。

さて，アクティブタッチと同等の考え方は，医療の分野でも重要視されています。アメリカの医師スティーヴン・ロックは，著書『内なる治癒力――こころと免疫をめぐる新しい医学』（創元社）のなかで，「バイオフィードバック療法」という身体の健康状態をコントロールする治療法について解説しています。バイオフィードバック療法とは簡単にいうと，筋緊張度，皮膚の表面温度，脳波，脈拍など，身体の生理的活動を，装置を使ってモニタリングし，患者自身がその活動を確認するというものです。モニタリングの方法は，画面を使って波形を見るというよりはむしろ，閃光や音など，さまざまな手段によって，その変化がわかりやすいようなものを採用します。患者は，モニタリングのできるバイオフィードバック装置を身体に取り付け，音を聞いたり光を見たりすることによって，常に自分の身体活動の状態を知ることができます。たとえば，身体をリラックスさせたいとき，本当にリラックスできているかどうかを、常に、身体活動の状態を見ながら知ることができるので、アクティブタッチと同様に、身体を動かしながら、その活動の変化を確かめられるのです。これによって、自分の身体活動を理想に近づけていくことが可能で、心拍数を減少させたり、血流量を増減させたりなどができるだけでなく、脳波すらコントロールできるようになるといいます。

自分自身で身体を能動的にコントロールできるようになれば、医者にいわれるがまま、ただ薬を飲み続けて様子を見るということはなくなります。薬を飲む際にも、プラシーボ効果など心理的な治療効果をも利用し、自分自身の力で能動的に身体を健康に保つ「内なる治癒力」を高めていくことができると考えられます。そして、この考え方は、医療の分野だけでなく、自分の身体状態を理想状態に近づけたいと考える際に役に立つと考えられます。スポーツや、外国語会話の習得など、身体を用いる活動すべてについて、「バイオフィードバック」は私たちの活動を後押ししてくれる可能性がありま す。そして、これを行うためには、身体をモニタリングするためのさまざまな技術が必要になりま す。こうした、身体活動というフィールドこそ、科学技術が人間と共生できる舞台といえるのではないでしょうか。

## 忘れない恐怖記憶

心に強く刻み込まれた恐怖は容易に忘れることができません。忘れたつもりだった幼少期の記憶が、ふと夜道で薄明かりを見るなどしたときに、突然に蘇ってくることがあります。恐怖をはじめとする情動に関わる記憶は、身体に刻み込まれます。これは、身体で記憶し、学びを得るプロセスそのものといえます。身体による学びのプロセスは、前述したバイオフィードバックだけでは十分ではありません。情動を伴う記憶がどのようにして起こるのかを理解することによってこそ、私たちは、身体を通して学びを得るプロセスの理解を深めることができます。その第一歩として、ここでは、恐怖記憶への理解を深めます。近年の脳研究の進歩は「恐怖記憶」のメカニズムをも明らかにしてきています。心理学者の廣中直行は、著書『情動の進化――動物から人間へ』(朝倉書店)のなかで、恐怖記憶についてわかりやすく解説しています。

廣中は、恐怖とは、危険を知らせる脳の警告システムだといいます。それは、多様な危険に対して柔軟に反応します。たとえば、山道で出会った細長いものが、縄なのか、ヘビなのかといった細かい分析はさておき、危険をいち早く察知して「逃げる」ことが重要です。このため、細長い何かを見たときには、その全容を観察したうえで分析するなどのステップを踏むよりは、「ガサッ」という音とともにウロコ状の何かの一部でも見えるだけで警告が発せられるほうが、「逃げる」という行為には役に立ちます。このことから、感覚刺激の一部の特徴だけでも行動が起こるように、私たちの身体は設計されています。

したがって、恐怖に関して私たちの身体が採用している対策は、第1に身体反応です。「パニック発作」と呼ばれるものはその代表例で、動悸や発汗、息苦しさなどの反応を指し、静脈内の乳酸値が上昇することによって起こります。第2の対策が「予期不安」です。これは、パニック発作がいつどんなときに起こるかわからないことから生じる情動です。身体に対する危険は、いつどこに潜んでいるものかわかりません。そこで、とくに敏感な感受性をもつ人は、いろいろな出来事に対して予期不安を働かせます。

私たち人間を含め、生物が生きのびるためには、過去の恐怖記憶を呼び覚まし、いち早く危険を察知することが重要です。恐怖記憶が呼び覚まされるメカニズムは「ストレスホルモンストーリー」という体内における一連の信号の流れと考えられています。私たち人間の体内では、視床下部(H)、下垂体(P)、副腎(A)からなる「HPA軸」の循環が正常に働いていれば、危険を察知することによってHPAの順に恐怖反応が起き、そのなかで、コルチゾールの分泌量はほぼ一定に保たれます。これは、コルチゾール自体にコルチゾールの分泌を抑制する働きをもつというネガティブフィードバックがあるためです。このメカニズムが、恐怖反応というものがいつまでも継続せず、いずれは終わりを迎えることを可能にしています。しかし、この循環が正常に起こらない場合が指摘されており、それが「うつ病」の原因であるとも指摘されています。HPA軸はストレス反応に対しても同様に起こります。この循環が正常でないと、コルチゾールの分泌量が一定に保たれず、ストレスがいつまでも残り続けるのです。

恐怖に関する、危険を察知するメカニズム、そして、恐怖記憶を呼び覚ますメカニズムは、私たち人間を理解するうえでも重要です。それだけでなく、恐怖記憶を呼び覚ますメカニズムは、私たちにとって、記憶とは何なのか、過去に身体を通して学んだものを、身体はどのように、今に生かしているのかを教えてくれます。危険を察知するとき、私たちは、それがヘビなのかどうかは関係なく、自分にとって危険であれば、すぐに逃げる必要があります。だからこそ、異変を感じるとすぐに、私たちの身体は、その変化に気づくことができるようにつくられていると考えられるのです。私たちは、物陰に隠れた子どもでも、書類の山に隠れた文房具でも、その一部さえ見ることができれば、それが何なのかを立ちどころに理解します。そのメカニズムは、一部の情報さえ見ることができれば、「危険」をはじめとする自分にとっての意味を、過去の記憶を呼び覚ますことによって立ちどころに理解することのできる、ＨＰＡ軸のようなメカニズムにあると考えられます。

私たちは、物陰に隠れた子どもを見つける際、視覚情報のみから判断を行っているわけではないようです。視覚から得た一部の情報が、ＨＰＡ軸のようなメカニズムによって身体反応にまでつながり、身体全体でものを見つけているのではないかと考えられるのです。ストレスホルモンストーリーのような身体全体によるメカニズムは、まだまだ明らかになっているものは多くありませんが、今後、少しずつ明らかになっていくものと考えられます。そして、さらに重要なことに、ストレスホルモンストーリーによる恐怖記憶のような、情動を伴う記憶のプロセスもまた、少しずつではありますが、明らかになっています。これを理解することで、私たちが、情動と身体を通して学び、成長していくプロセスを知ることができます。

## 情動と脳の中に棲む小人

「脳の中には小人が棲んでいる」

この言葉を理解する先に、私たちがなぜ情動をもち、ＨＰＡを受ける喜怒哀楽を表現することができるのかに関するヒントが隠されています。探究の歴史は19世紀に遡ります。脳の理解が始まったばかりの１８７８年、イギリスの神経学者デイヴィッド・フェリエは「サルの脳地図」を作成しました。

これは、脳のどの部位が身体のどの部位に対応するかの対応関係を描いたものです。この「サルの脳地図」は粗いものでしたが、1950年、アメリカの外科医ワイルダー・ペンフィールドにより「ホムンクルス」と名付けた詳細な脳地図が出版されました(図4-5)。ペンフィールドは、脳神経活動の異常によって発症する「てんかん」の手術のため、患者の脳をむき出しにし、各部位に電極刺激を与えました。このことを通して、脳のどの部位が身体のどの部位に対応するのかを調べたのです。

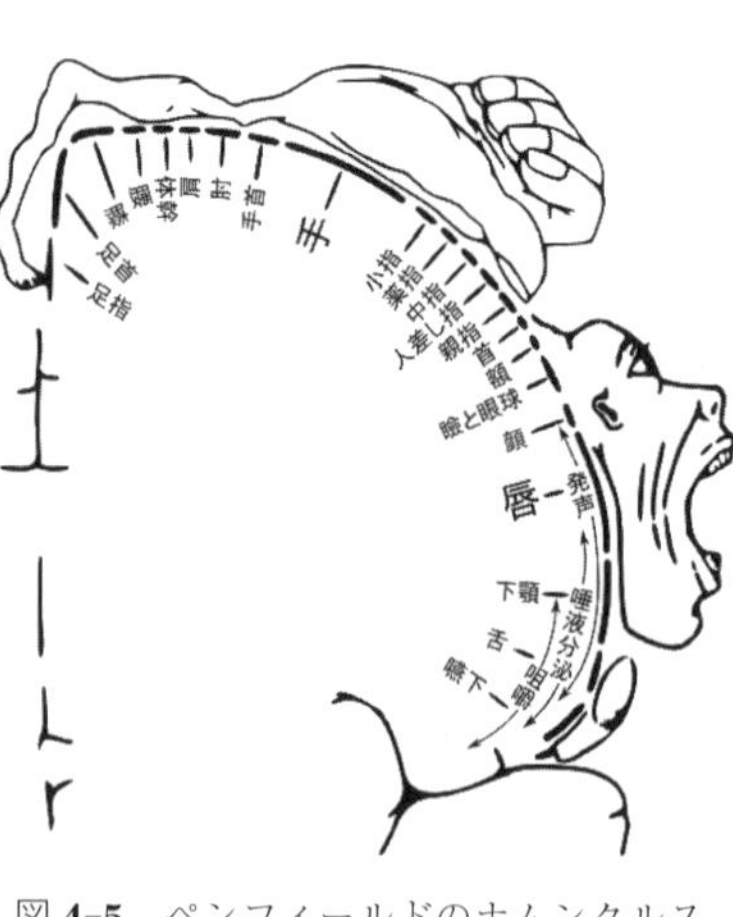

図 **4-5** ペンフィールドのホムンクルス（運動野）

図を見ると、私たちが、脳の中で行っている、身体に対する認識がいかに歪んでいるかがわかります。指先や唇は、詳細な感覚を知覚する必要があるために多くの脳資源を割いています。一方で、肩や肘など重要でない部位については、小さく表現されています。もちろん、ホムンクルスは、私たちの身体に対する認識そのものであるため、身体を通して環境への働きかけを行い、成長していくことで変化していくものと考えられます。ペンフィールドのホムンクルスは、あくまで脳の表層の部分である大脳皮質が、身体のどの部位に対応するのかを記述するものであり、大脳のどの部分が、身体のどこに対応するかを表現しているにすぎません。しかしながら、近年の情動の研究は、私たちの行っている、身体を通して、情動を伴う学びのプロセスへの理解を深めさせてくれます。

アメリカの神経科学者のヤーク・パンクセップは、特定の脳部位を刺激することで、怒りなどの情動を伴う行動を誘発することで、七つの基本となる情動と、それに対応する脳部位とを紐づけた「原初情動モデル」を発表しました。七つの情動を、それに対応する脳部位と紐づけたのです。具体的には、「（報酬の）探索」は「側坐核」、「怒り」は「内側稲桃核」、「恐怖」は「外側稲桃核」、「欲情」は「視床下部」、「保護」は「前帯状皮質」、「悲哀」は「前帯状皮質」、「遊び」は「視床背内側」、とそれぞれの周辺領域に対応することを発見したのです。動物の行動は、これらの七つの原初情動の発現として観察することができるといいます。

報酬の探索とは、環境の特性を理解し、報酬を得そうな事態と苦痛に陥りそうな事態を予測する基本的な情動です。報酬の探索を可能にする脳部位が側坐核であり、側坐核は、「快楽の予測」を担当すると考えられています。すなわち、快楽が得られるであろう行動に対して強い反応を示します。怒りとは、進化の過程を考えると、もともとは、捕食者に捕捉されて身動きできなくなった状態の情動だったと考えられています。怒りによって、爆発的なエネルギーが得られ、相手に恐怖を与える機能をもつことで危険からの脱出を可能にします。そして、恐怖とは、身体的精神的な痛みを避け、捕食者に損傷される危険を低減する機能をもちます。対象が明白でない恐怖は「不安」とも呼ばれます。欲情とは、性行動を司る情動です。保護とは、母性父性愛を司る情動です。悲哀とは、親から分離された幼弱個体が示す行動に源があり、親の養育行動を刺激するような情動です。成熟個体においては、社会的な仲間やつがい相手から分離されると不安をもたらす情動です。遊びとは、本当の争いではない「じゃれ合い」などから社会のなかでの行動を学ぶ目的があります。

これらの原初情動は、動物すべてがもつものではありません。とくに、「遊び」のような、他者と関わることによって得られる「社会性」との関係の強い情動は、爬虫類から哺乳類へ進化した段階ではじめて獲得したといわれています(脳の進化のプロセスに関しては拙書『人工知能の哲学』参照)。さらに重要なことに、パンクセップは、この原初情動モデルを用いることで、「社会性」の基盤ともいえる「共感」についての考察を深めています。身体を通した学びのなかで「共感」を獲得するプロセスを理解することは、第2章で紹介した「信用経済」などの新しい枠組みを、どのように社会に生かしていくことができるかを考察することにもつながります。

パンクセップは、共感が進化していくプロセスを、3段階に分けた仮説として解説しています。まず、「悲哀」などを中心とする保護情動の働きがあり、情動伝染、すなわち、他者の情動によって自己の情動が影響を受ける現象もまた、これによって起こるとしています。次の段階は、学習が介在し、情動的行動の習慣化が起こるとしています。この段階は、大脳基底核を含む辺縁系が関与しているとされ、「快楽の予測」などが関係していると考えられます。最後の段階は、大脳新皮質を中心とする認知的な共感とされており、私たちの意識において行う共感は、この段階であると考えられます。

動物行動学を研究する岡ノ谷一夫は、著書『情動の進化――動物から人間へ』(朝倉書店)でパンクセップのモデルについて詳説し、パンクセップの共感の進化についての考察を「あまりに粗いといわざるをえない」としたうえで、次のように評価しています。

原初情動モデルを積極的に情動認知に応用した研究例はない。しかし、脳の責任部位と生起する行動特徴が明確に定義されているモデルであるため、情動認知の理解に貢献することが期待できる。このモデルをもとに、特定の脳部位から特定の情動に対応するようなミラーニューロンを検索するような研究プログラムが構築できる。

（渡辺茂他『情動の進化』朝倉書店）

社会性の基盤ともいえる共感を、私たちがどのように獲得していくかについては、まだまだ研究の余地がありますが、岡ノ谷が指摘するように、パンクセップの原初情動モデルを応用することで、その理解が深まることが、大いに期待できます。共感には、悲哀をはじめとする多くの情動が段階的に働いていると考えられます。そして、私たちは、情動の働きを伴う多くの体験を、身体を伴って得ることで、共感という能力を育んでいくと考えられます。情動や共感に関するこれらの理解を深めていくことによって、私たちの情動や共感の働きを補助する役割としての情報技術の役割が描けます。そのうえでこそ、情報技術が私たち人間と共生する未来が描けるものと期待されます。

## 一つになるばらばらの身体

脳の研究において最も不思議な点は、なぜ脳のような複雑な「構造物」が、「設計図通り」に生成されることが可能なのか、そして、そうした複雑な「組織」が、なぜ「統制が取れて」いるのか、ということです。脳は単体で動いているわけではなく、身体のそれぞれの組織と適切に連携しながら、自らの役割を全うします。それは、すなわち身体を構成する60兆個の細胞がばらばらにならず、統制が取れた働きをしていることに他なりません。このような芸当は、どうしたら可能になるのでしょうか。それを説明するのが「逆問題」です。

逆問題とは「結果から原因を探る」問題を指します。それに対して、「原因から結果を予測する」問題を「順問題」と呼びます。順問題は、原因がすべてわかっていれば、結果を一意に導くことができます。一方、逆問題は、無限の可能性が考えられることから、一般的には解くのが難しいとされます。しかしながら、脳は、まるで最初から答えがわかっているかのように、逆問題を解いているように見えます。

逆問題は、「目的」を最初に決定したうえで、それを達成するための方法（道筋）を導き出すという意味で、私たち人間が日々行っている行為と同じです。空腹を感じたら「腹を満たす」という目的が生まれ、そこで初めて「何かを食べるための行動」という、目的を達成するための方法を導き出すことができるのです。そして、その方法は、順問題のように、原因が決まったら結果までの道筋が、順次一つひとつ定まっていくことは求めず、目的さえ達成できれば方法は問いません。それこそが、自らの置かれた環境との「調和的関係をつくる」所以です。実際に「腹を満たす」際には、口に入れれば何でもよいわけでなく、社会的に食べることが許されるものとそうでないもの、身体に対して良いものとそうでないもの、そもそも物理的に手に入れることができるものとそうでないもの、など、食べ物に制約があります。そうした制約をクリアし、かつ目的を最大限に達成するための最良の方法を、その場その場で、常に変化する環境のなかで決定していくことこそが、「逆問題を解く」ということに対応します。私たち生物は、常に逆問題を解いているからこそ、脳のような複雑な構造物であっても、設計図通りに生成され、また、60兆もの細胞一つひとつが統制の取れた動きを行うことが可能なのです。

逆問題を解くという視点に立つと，身体を使って学習する，すなわち記憶を育むとはどういうことか，そのメカニズムが見えてきます。前述したゴンドラ猫は，自らの目的を達成するために身体を動かさなかったために記憶が育まれなかったと考えられます。身体を動かすことによって知覚するアクティブタッチもまた，自らの目的に沿うものかどうかを確認するための知覚であるといえます。ほかにも多くの事例が報告されています。前述の山口創は，人間の感覚が育つプロセスを，3段階に分けて説明しています。

第1段階は，生まれる前の段階です。ヒトの受精卵は，受精後10週を過ぎる頃には，脊髄の神経細胞が手足の先にまで伸びます。18週を過ぎると脳の体性感覚野につながり，そのときには，触覚が生まれていると考えられています。このころから胎児は指しゃぶりを始めます。これにより，身体の感覚と自分自身の身体とを結びつけて知覚していると考えられ，自らの身体を知る（同定する）行為であると考えられています。指しゃぶりによって育まれる感覚は，指，唇，口内など，ホムンクルスにおいて肥大化が見られる部位によるものです。自分自身の指をしゃぶることで，指と唇や口内の感覚を同時に得，自分の身体であることを確かめることができると考えられます。

第2段階は，生後2カ月を過ぎる頃です。このとき，身体のいろいろな部位を触って探索するようになります。仰向けになって足を触ったり，口に入れたりすることもあります。一本一本の指を舐めることで，それまで大雑把にひと塊の手として感じていたものが，一本一本，別々に知覚できるようになり，それぞれの指を身体感覚によって知ります。そして，仰向けになって手で足をつかむことで，手や足の位置感覚が正確なものになり、徐々に身体が思いのままに動かせるようになっていきます。このとき、身体の効率的な動かし方の基礎がつくられるのです。

そして、そのような体験を積み重ねることで第3段階を迎えます。生後1年経つ頃、人間は、自己とその周囲の環境とを区別できるようになるといわれています。もちろん、このときの自己像は、正確なものではありません。身体像は誇張され、頭と手や口は大きく、胴体は小さい、ホムンクルスに似たものと認識します。4~5歳児の描く人物像がホムンクルスに似た傾向にあるのは、このときの自己認識を反映しているからです。そして、それが視覚的な身体像と合体されて、徐々に正確なものとなっていきます。

人間の成長プロセスを、赤ちゃんから順に追っていくことで、人間に匹敵する知能を身につけるロボットに関する研究が盛んに行われています。しかしながら、単にそのプロセスを真似するだけでは、自ら感覚を(アクティブに)身につけることはできません。逆問題の発想に基づいて、アクティブに環境と対峙するからこそ、知覚が身につけられるということを、ゴンドラ猫やアクティブタッチの実験、そして、赤ちゃんの成長プロセスは教えてくれています。人間についての理解がここまで深まれば、人間と情報社会が共生する未来を描くために必要な知見は十分に出揃っています。これらの知見を生かしていくことによってこそ、これからの情報社会、そして、そのなかでの私たちのあり方が見えてくるのではないでしょうか。

## 「脳を真似る試み」からの学び

ここまで、「心の解読」における最大の問題である「情報表現」の問題を考え、それを解く鍵である「身体性」についての理解を深めてきました。心を解読することを考えるうえでは、脳(大脳)ばかりに着目するのではなく、人間が身体を通して学ぶプロセスについての理解が重要です。私たちは、脳の一部を通して何かを見たり感じたりしているわけではなく、脳(大脳)、情動(情動脳)、身体などによる一連のプロセスによってそれを実現しているため、「心」を知るためには、脳だけでなく、身体全体の理解が不可欠です。近年の脳神経科学、認知科学の発展によって、これら身体全体の理解、すなわち「身体性」に関する理解が進みました。ここで得た学びを受け、これからの情報社会を、そして、そのなかでの私たちのあり方について、どのように考えていくことができるでしょうか。

脳に関する研究を、コンピュータ科学をはじめとする工学に応用する試みが、過去、繰り返し行われてきたとき、先人たちは何を得たのでしょうか。過去の経験から学べることは何なのかを考えることは、あらゆる科学において必須の試みであり、それは、脳研究においても例外ではありません。第1章で触れた人工知能の歴史を、脳研究の視点から見返してみましょう。

1970年代から80年代に、50年代の最初のAIブームに続く「第2次AIブーム」が到来し、研究者を中心にAIに関する期待と不安が世間を賑わせていました。このとき、脳神経科学の研究成果を情報システムに反映させる試みが盛んに行われました。運動を司るとされる小脳のニューラルネットワークを模擬してロボットを制御するモデル、視覚を司るとされる大脳視覚野のニューラルネットワークを模擬して物体認識を行うモデル、記憶を司るとされる海馬のニューラルネットワークを模擬して連想記憶や連想想起を行うモデル、報酬系と呼ばれる理想的な運動パターンを探索する（報酬予測を行う）とされる大脳基底核を模擬して強化学習を行うモデルなど、脳の構造をある程度正確に模したうえで、さらにロボット制御を行うなどが、トレンドの試みでした。これら脳を正確に模すというトレンドは、その後ひっそりと姿を消していきました。代わりに、大脳視覚野の研究で明らかにされた局所的な特徴を抽出する仕組みなどをうまく組み合わせ、（脳の形を模すわけではなく）物体認識などの目的を達成するのに適したモデルをつくって利用しているのが、現在、盛んに利用されている多層ニューラルネットワークによる深層学習です。元々、脳の研究から出発したニューラルネットワークは、現在、脳研究者の手を離れて発展しており、「身体性」をはじめとする近年の脳研究とは距離ができているのが現状です。

脳を正確に模すというトレンドがひっそりと姿を消した理由は、何にあったのでしょうか。

２００９年、私たちは革命的な映像を目の当たりにしました。アメリカのボストン・ダイナミクス社の発表した「ペットマン」と呼ばれるその二足歩行ロボットは、ベルトコンベアー上で、しっかりとかかとから足を降ろし、つま先に自分の体重を乗せて蹴りだします。そして、横から人間に押されることでバランスを崩しても、すぐにバランスを取り戻し、再び歩き始めるのです。それに続く２０１０年の四足歩行ロボット「ビッグドッグ」はさらに衝撃的でした。まるでふたりの人間が向かい合って櫓（やぐら）を組んだような恰好のそのロボットは、人間に乱暴に蹴られても歩き続け、氷の上でもよろめきながらしっかりと歩き続けます。その姿には，「可哀想」という声があがったほど，まるで生命を宿し，生きているように見えるものでした。

ボストン・ダイナミクス社の解決した問題は，まさにいつバランスを崩すかもわからない「無限定環境」において，そのときごとに適切な動きをつくり出す方法です。正確には，彼らの解いたのは，「凸最適化」と呼ばれる問題です。その場その場で，最適にすべき関数を用意し，その関数を最適化することによって，どの足をどの方向に出すかなど，動作を決めていきます。一般的に，関数の最適化は容易ではありません。どの動作が最適かは，動作してみるまでわからないからです。しかしながら，彼らの行ったのは，関数を凸にし，そのなかで最適値を導出するという方法です。関数が凸，すなわち，関数が山型をしていると，山の頂点に登るようにすれば，最適な状態にたどり着きます。それが，彼らの行った，凸最適化という方法です。これは，最初に関数を決め打つという点で，逆問題的な問題の解き方といえ，人間や生物が身体を動かす仕組みと同じであると考えられます。ボストン・ダイナミクス社ＣＥＯのマーク・レイバートは，現実世界のなかで身体を動かすメカニズムにおいて，常に変化する環境と身体との相互作用について強調しています。神経回路網のリズムと身体のリズムは，相互に影響を与え合うことによって，動的にリズムを自己形成しています。このリズムの動的な自己形成は，神経回路網と身体に留まりません。身体と外部の環境との間にも，同様の相互作用（コミュニケーション）が働きます。そのため，身体のリズムは環境の影響を受け，同時に身体は環境に作用します。こうして環境の影響を受けた身体のリズムは，神経回路網（ＣＰＧ）のリズムにも影響を与えます。すなわち，身体を通して，神経回路と環境が，動的にリズムを自己形成していくのです。

さて、結局のところ、脳を正確に模すというトレンドがひっそりと姿を消した理由は、何だったのでしょうか。その理由は、当時の脳研究が、現在のニューラルネットワーク研究と同様に、データを統計的に学習する手法だったということに他なりません。データを統計的に学習する手法は、前もって100パーセント正確に情報を学習することができないという性質上、確率的に誤りを含みます。「歩行」パターンを導き出す際、横から蹴られるなどの想定外の不測の事態が起こった場合にはまったく対応できません。それだけではなく、実空間における、あらゆる状況を前もって想定しておかなければ、実空間において起こる環境の変化には対応できません。もちろん、100パーセント正確に答えを出さなくても、90パーセント正確に動いて、誤った場合は人間が補助するという使い方もあります。脳を正確に模すことは必須ではなく、データを統計的に学習する手法であれば何でもよいのです。このようなことから、70~80年代のトレンドは、90年代には姿を消しました。脳を正確に模す方法は、データを統計的に学習する手法に取って代わられたうえ、統計的に学習する手法が通用しないロボット制御の世界においては、ボストン・ダイナミクス社のような、環境に適応していく手法に取って代わられていきました。その後に登場した深層学習は、それまで発達していた統計的学習の手法の一つに位置づけることができます。

さて、近年の脳研究における大きな学びは「逆問題」にあると筆者は考えます。逆問題を解く仕組みは、現在はまだ、ロボット制御をはじめとするシステムの「制御」に留まっています。人間や生物の脳が行う逆問題を解く仕組みは、身体の「制御」のみならず、環境、すなわち自分自身が置かれた空間の「認識」にこそ用いられるものであり、アクティブタッチなどの例を見ても、逆問題を解く仕組みの重要性は明らかです。「何かがある」と思って手を伸ばし，その「何か」を確かめるように手を触れるからこそ，私たちは，その「何か」を認識することができます。その仕組みは触覚に留まらず，視覚や聴覚であっても必要なものです。逆問題を解く仕組みがあるからこそ，雑踏のなかで自分の名前が呼ばれたときに「注意」を向けることができ，画素の羅列のなかからでも馬や村を見つけることができるのです。

筆者は，二足歩行ロボットの歩行の仕組みを，「ものを見る」，すなわち，脳の認識の仕組みの研究に応用しています。二足歩行ロボットは，二足のリズムを利用して歩行を行う仕組みです。これが，脳がどのように視覚情報を処理し，見たものを認識しているかの解明につながると考え，研究しています。ものを見ている際の脳の神経細胞がリズムをもって運動することによって，「形」を見つけることができます。

大脳視覚野の神経細胞は，他の神経細胞から電気信号（イオンの流入）を受け取ることによって，発火と呼ばれる急激な電圧の変化を起こします（54頁）。そして，イオンを放出することによって，電圧値をもとの値に戻します。この電圧の変化がリズミカルに行われ，周囲の神経細胞と相互作用することによって，リズムを共有して動き出します。これによって，同じ「色」を見ている視覚野の神経細胞は，同じリズムによって動き出し，結果として，そこに「形」を見出すことができるようになるのです。

筆者はさらに，探したい形を前もって与えておくことで，「形」から「物体」を認識する仕組みをもつシステムを開発しました。この仕組みは，機械学習において問題とされる「前もって多くのデータを学習する必要性」を解決しました。前もって何も学習していなくても、何かしらの「形」を認識することができ、さらに、探したい物体の形状をわずかに学習させておくことで、物体の認識が可能になります。目の前の画像1枚を見るだけで認識を行うこの仕組みを、One Shot Detector（OSD）と名づけました。OSDは、航空写真や、水中で撮影したソナー画像から、さまざまな物体を認識することに成功しています。ただ、現状では一つの画素あたりを「非線形振動子」と呼ばれる複雑なばねとしてモデル化する必要があるため、計算機で解くにはかなりの時間がかかってしまうという問題があります。二足歩行をピクセル数分だけ計算する必要があるということです。

生物の行う計算は、計算機のそれとは根本的に異なります。一つひとつは不揃いであっても、「逆問題」という、目的を共有し、協力し合う仕組みによって、「一つの身体」として統制の取れた動きをします。逆問題を、現在の計算機を使って行うには限界があり、ゆくゆくは、逆問題を解くことができる新たな計算機が必要とされ、開発されるかもしれません。いずれにしても、逆問題という発想があるということを知るだけでも、現在の計算機の利用方法への発想も、個人としての情報社会との関わり方も、しだいに変わっていくのではないでしょうか。逆問題的な発想が、やがては社会の大きな流れになることを期待しています。

## 身体に学ぶ生命システムの設計思想

多くの脳神経科学者が直面するのは、脳そのものが何者なのかが「わからない」という壁です。前述のマスクをはじめとする事業家の「脳を機械に接続する」試みは、「身体を動かす」ことが不自由な患者のリハビリテーションなどでは大きな効果を発揮します。一方で、当初の目的であった「心を読む」「心を機械とつなぐ」という野望は、残念ながら脳の信号を読み解くだけでは実現しないものと考えられます。脳は、観察するだけではわかりません。その理由は、脳そのものが世界を「観察する」のではなく「動くことで認識する」体系によってつくられているからです。

ゴンドラ猫は、自らの意思で動かなかったことで、世界を知覚することができなくなりました。アクティブタッチは、自らの動きによって知覚が起こる仕組みを説明します。そして、それらの裏側にあるのは「逆問題を解く」という考え方です。筆者は、「逆問題を解く」という考え方と「身体の拡張」(150頁)は、極めて相性が良いと考えています。

箸を用いるときのように、道具を使うことは、自らの身体の及ぼす範囲を広げることであり、私たちの認識できる世界は、そうした形で広がっていきます。これは「記憶の拡張」にもつながります。「脳を機械に接続する」ことによって描ける夢として、記憶を「ハードディスク」に蓄え、それを読み込むような方法で、知識を脳に直接「インストール」する未来が考えられます。しかし、残念ながら、自らの身体を通して得たものでない知識はインストールすることができません。英語を学ぶ際、単語を一つひとつ暗記するのでは極めて効率が悪く、「文章を通して単語に出会えば、いつの間にか単語が理解できるようになっている」「現地に行って試行錯誤すれば言語はすぐに覚えられる」ように、身体を無視した知識の「インストール」は極めて効率が悪いのです。「恐怖体験」を伴った記憶は強烈に身体に残る一方で、無味乾燥な文字や記号は脳と相性が悪いのです。脳に直接電極をつなぐなどの方法を用いるのではなく、記録したい先人の知恵などを、ＶＲなどを通して「追体験」しやすい形で残しておくだけでも、脳が吸収しやすいデータベースをつくることは可能になります。脳は、常に逆問題を解いています。目的さえあれば、それを解くための方法を、時々刻々と変化する環境のなかで適切に導き出します。身体に基づく経験（追体験）は、脳の逆問題を解く働きを助けます。そうした追体験を補助するインターフェースの開発こそ、これからの時代を担う重要な研究領域になることは間違いありません。

身体拡張に加えて、注目すべきなのは「心の問題」の解決です。身体経験を伴う豊かな記憶を、無味乾燥な文字や記号に置き換えてしまう情報システムは、私たちの脳や身体と相性が良いとはいえません。情報システムを土台とした生活に盲目的になることは、多くの「心の問題」を引き起こします。

現在、「食べる」という、私たちが生きるうえで最も根本的な活動すら、「心の問題」にむしばまれているといわれています。本来は「生きる」ことそのものである「食べる」という行為が「カロリー」などの数値に置き換えられたうえで、「生きる」という生命本来のあり方から離れ、痩せることを善しとする社会通念が、「摂食障害」を生み出しているといわれています。医療人類学を研究する磯野真穂は、著書『なぜふつうに食べられないのか――拒食と過食の文化人類学』（春秋社）で、摂食障害を生み出す現代社会に警鐘を鳴らしています。

> 現代に生きる私たちは、「適度にやせていること」を常に要請されている。
> 肥満はもちろんいけないが、一見ふつうに見えても、油断は禁物である。実は内臓脂肪だらけ

の隠れ肥満かもしれないからだ。やせすぎも禁物で、ＢＭＩが標準の値になるよう調整しなくてはならない。私たちは身体を「感じる」のではなく、「計って知る」ことを日々要請される世界に生きている。

（磯野真穂『なぜふつうに食べられないのか』春秋社）

磯野は、多くの摂食障害をもつ患者と直に向き合い、食べることに対して体重計とのみ向き合う患者が食事を抜くことで「食べなかったら痩せる」ことを発見し、食べること、すなわち体重を増やすことに対して嫌悪感を抱いて食べたものを吐くようになり、その結果として「ふつうに食べる」ことができなくなる、といった症例を分析したうえで、脳が逆問題を解く働きにも通じる解釈を行っています。磯野は、「ふつうに食べる」ことができなくなった患者を「食を通じて他者とかかわりを生み出し維持する力、言い換えると人と人との間に意味を生み出し、維持する力が失われた状態」にあると表現しています。本来、私たちは、体重計の値や、ＢＭＩの値などの「数値」を維持することを目的に、食を得ているわけでも、食によって、生命維持に必要な栄養素を得ているだけでもありません。食べるという行為、すなわち、食卓を囲んで団欒するような行為そのものによって、他者と関わり合い、他者とともに、即興的なドラマを創造しています。しかしながら、摂食障害の患者に象徴されるように、「数値」による評価に囲まれている私たちの現代社会は、他者とともに創造するドラマを見失わせていると考えられるのです。

私たちの脳は、身体を通して世界を知覚し、身体経験によってそれは広がりをもつものとなり、さらに、他者との関わりを経て、成長していきます。数値化を行うものを含め、技術は本来、身体を成長させるとともに、私たちの生き方をより豊かにしていくためのもののはずです。私たちの身体、そして、生きるということについての理解を怠ることとさえしなければ、技術は、私たちが「生きる」ことを危うくすることもないはずです。技術そのものに、良いも悪いもありません。しかしながら、現代において、技術に対する私たちの理解は、見直されるべきものなのかもしれません。私たちが生きるということがどういうことかを理解することによって、技術のあり方は考え直され、その結果として、情報社会のなかでの私たちの生き方もまた、変化していくはずです。

私たちの脳を、身体を含む全体として理解するために重要なキーワードである「逆問題」。これは、先に未来を描き、その未来を達成するように自分自身や、自分と周囲との関係を調整していくという意味で、人間社会に通じる考え方です。逆問題の考え方は、脳の理解を深めるだけでなく、これからの情報システムがどのようにあるべきか、そして、人間社会をどうすべきかについての重要な示唆を与えます。人間とは、そして、人間の脳とは、自分で設定した目的を達成するような仕組みで動いています。その未来が希望に満ちたものであれば、未来は希望に満ちたものになる一方で、破滅的な未来を描くのであれば、現実はその通りに動いていくものと考えられます。The best way to predict the future is to invent it. ——未来を予測する最善の方法は、未来を（自分自身で）発明してしまうことだ。パーソナル・コンピュータの父であるアラン・ケイの言葉は、今、私たちに、どのような未来を描き、どのような生き方を創造していきたいのか、と問うているように感じられます。

# 5　人工知能に未来を託せますか？

変化の激しい現代社会、ＡＩや、その周辺知識についての理解を深めるだけでは、未来に対する漠然とした不安が消えるわけではないかもしれません。社会はこれからも、日々変化していきます。たとえ、自分の世代に問題が起こらないとしても、子どもや孫の世代に何が起こるか、不安は尽きません。とくに、新しい科学技術が目まぐるしく社会を変化させている昨今、それらの知識をどのように取り入れ、変化する社会とどのように向き合っていくべきかという問題は、現代社会を生きる私たちにとって、避けて通ることはできません。そうしたことを背景に、本書は「人間」に視点を重く置き、これからの社会について考察してきました。人間は、一人ひとり、人生という物語を生きています。その物語を日々創造し続けているからこそ、私たちは、生きていくことができます。変化の激しい社会だからこそ、自分自身がつくりたい世界が重要であり、それこそが、この社会での生き方といえます。「人間」という視点に立ってこそ、私たちは、「人間らしさ」を失うことなく共生していくことのできる未来の情報社会のあり方と、そこでの私たちの生き方を見出せるのではないでしょうか。

とくに、本書は、ＡＩ（人工知能）の研究史をはじめとする科学技術の実態と、それが社会に与える影響について掘り下げるとともに、「場」や「身体」という視点を軸に、これからの社会にとって必要な考え方について提示してきました。科学技術がどれだけ進歩しても、それを受け取る私たち「人間」が進歩していかなければ意味がありません。私たち「人間」が、私たち自身について、すなわち「人間らしさ」とは何かについての理解を深めていくことで、私たち自身の未来についての考察を深めていくことができます。そして、私たち自身の未来を描くことができれば、科学技術の開発そのものに対しても、影響を与えていくことができます。

ここからは、これからの未来を描き、社会を創造していくうえで欠くことのできない、学問、教育、事業創造のあり方について考察していきます。そして、それを土台として、新たな時代に向けて筆者なりに提言を行いたいと思います。現在、世界中で開発されているさまざまな科学技術に、ただただ身を委ねていても、そこから未来を描くことはできません。未来を託すことができるのは、いつの時代も、その時代の主体者である、私たち「人間」です。本章は、現代の情報社会の基礎を築いたリックライダーの「人とコンピュータの共生」という思想の先にある未来を描くことを目標とします。まずは、それらを考察するにあたって、筆者のこれまで向き合ってきた科学、そして学問に対する考え方から、物語を始めていきたいと思います。

## 何かがおかしい現代科学

「科学」という言葉の響きに何を連想するでしょうか。筆者がイメージするのは、未来へ広がる大きな期待です。それは、昔から変わりません。筆者は、幼少期から、ＡＩというよりもむしろ、より広い科学そのものに対して強い憧れを抱いていました。「科学」という言葉の響きには、まだ見ぬ世界を見せてくれる、不思議な魅力があります。未来には、宇宙旅行や時間旅行が当たり前になっているかもしれないと想像すると、それだけでワクワクした気持ちになったものです。子ども心に、科学者に対して、みんなの夢を叶え、みんなの悩みを解決してくれる、ヒーローのような憧れを抱いていました。ところが、実際に科学の世界に足を踏み入れると、「みんながもっている夢」や「みんなの悩み」に関心を示している人はほとんどおらず、科学者として「生き残る」という夢のない言葉を口癖のように唱える人の多いことを知りました。これに「何かがおかしい」と感じ失望を覚えたものです。そして、多くの人との意見交換を重ねるなかで、この失望感は、単なる独りよがりなものではなく、社会全体に蔓延しているのではないかと考えるようになりました。

これまで、科学に携わる者の一人として、多くの人と関わってきました。そのなかで聞く言葉は、やはり、幼少期に筆者が感じていたのと変わらないものでした。「新しい研究で、世の中を変えてほしい」「何かと暗い話題が多い昨今だが、科学者・研究者の皆さんの力で、驚くような世界を見せてほしい」などと、科学者のつくる世界への期待を寄せるビジネスパーソン。「日本の科学技術に憧れを抱き、日本に来た」と、想いを語ってくれる留学生。その一方で、「これまで、未来に希望がもてなかった。身の回りには、親と先生くらいしか大人がおらず、自由に生きている人に出会ったことがなかった」と、自分が見ていた世界の狭さを表現してくれた中高生。そして最近はやはり、「ＡＩ」という言葉に対する漠然とした不安や、逆に、まだ見ぬ世界に自らが飛び込んでいけるのではないかという期待感をもつ人は、どの世代にも少なくありません。

「サイエンスコミュニケーション」という言葉があります。最先端科学の知識を老若男女問わずに共有させることで、科学技術への理解を深める活動です。今、科学者は、サイエンスコミュニケーションを通して多くの人と接し、世の中への理解を深めることが必要とされていると感じます。研究室から飛び出し、一人ひとりと直接対話を行うなかで、今、目の前の人が、何に悩んで、どんな未来を描いていきたいと思っているかを知ることができます。対話を通して得た関係の向こう側には、本や論文からは決して得ることのできない「つながり」が生まれます。新しい研究を行う際、「この研究が成就したら、小学生の○○くんはどう思うだろうか。彼に夢を与えることはできるだろうか。彼に自分の研究を伝えるときに、どのような言葉を選べばよいだろうか。彼に対して、胸を張っていられるだろうか」などと、研究の向こう側に見える「顔」を思い浮かべることで、その研究には、それまでになかった意味が新たにつくられていきます。社会の「つながり」のなかで生きるということは、人生を共有することであり、共に生きることで意味をつくり出していくことは機械にはない、人間にのみ許された能力です。至るところで「何かがおかしい」という違和感を覚える現代だからこそ、「共に生きる」ことそれ自体が何よりも意味をもつ社会になっていくのではないかと感じます。

ここまでの話は、あくまで科学に携わる筆者の体験から得た実感にすぎないものではありますが、とくに「働く」という意味において、社会全体の問題として読み解ける問題につながると考え、紹介しました。科学者でなくとも、社会のなかで働くということは、誰かの問題を解決するということ、すなわち、誰かを幸せにするということです。働くことによって誰かに感謝され、賃金を得ることができるからこそ、社会のなかで働くプロフェッショナルといわれるのです。それは、どのような仕事であれ、その内容を子どもたちが知れば、社会のなかで人びとを助けるヒーローのように感じることでしょう。実際、お金を支払うお客様は、あなたや、あなたの会社がなければ、何らかの形で困ってしまうはずです。彼らが何をすれば、今よりも幸せになるかを考え、実行できる人は、今の社会であっても、より多くのお金を受け取ることができます。にもかかわらず、「仕事がＡＩに奪われる」「生き残るために」などと自分目線になっていれば、目の前のお客様が何に困っているのかすら見えにくくなってしまうのではないでしょうか。そのような姿を、ヒーローのように感じた子どもたちが見たとき、どのように感じるだろうか、子どもたちの心のなかのヒーローは、どのように振る舞うだろうか、などと考えていると、今自分が何を為すべきか、深層心理では何を目指しているのかが見えてくるかもしれません。

人が生きることは人生という物語を創造することです。人と人とがつくる社会が創造する物語が歴史であり、歴史のうえに積み重ねてきた人類の叡智が学問です。学問とは、本来は、歴史のうえに積み重ねられてきた人びとがつくったものでもあり、口頭伝承などの形で限られた人にのみ伝えるのではなく、広く、誰にでも理解できる形でつくられたものです。先の見えづらい現代社会において、未来を切り拓いていくためには、ヒーローたる私たち一人ひとりによる、新しい学問が必要であり、それは、物語を創造する私たち一人ひとりにできることだと、筆者は考えます。

自分一人の創造する物語は、決して大きなものではないかもしれません。過去の歴史を切り拓いてきた先人たちが、同じようなことを考え、行動に移してきたかもしれません。しかし、今、自分の物語を先人たちが創造してきた歴史のうえに立って描いていくとき、それは学問になり、他の人にとっても理解し、扱うことが可能になります。学問は、人から人に伝わり、やがては世界を動かす土台となります。学問の創造ができることこそ、「ＡＩに負けない創造性」を人間がもつことの何よりの証です。

機械に歴史は創造できません。今、現代を生きる人間だからこそ、学問を創造し続けることができるのです。学問の創造は、今、時代が求めているものであり、未来への可能性を切り拓くために、社会で活躍するすべての人に、取り組んでいただきたい、と筆者は考えています。筆者もまた、この世界を生きる人間の一人として、学問を創造し続けています。「何かがおかしい」という視点に立ち、研究を重ね、論文を書き、その知見を、より広い視野で書物に起こし、それを土台に実践する。新しい学問を共に創造し、世界を動かすのは、私たち人間なのです。

## 驚くほど狭い世界

産業革命以前、15マイル以内の狭い範囲を生きていた（82頁）当時の人びとにとっては、それが世界でした。現在、地球規模に広がるインターネットの到来以来、私たちは、地球上のどこにいる人とも関係をつくることができるようになりました。世界を広げるハードルは大きく下がりました。そうはいっても、地球上のどこに、自分と馬が合い、関係をつくることができる人がいるのかは、関係をつくることに成功する前にはわからないものです。実際、子どもたちは驚くほど狭い世界を生きています。読者のなかにも、小学生の頃は長く感じていた家と学校の間の通学路が、今歩いてみると、わずかな距離に感じた経験のある人は少なくないでしょう。人は、生まれるとすぐに母親と出会い、二人の間の関係を、この世界のすべてとして認識します。その後、一人、また一人と新たな関係をつくりながら、自分の世界を広げていきます。人との出会いが、自分のなかに創造される世界を形づくっていきます。世界は常に形を変えます。この広い地球上の至るところが、たとえ、ネットワークを介してつながっているからとはいえ、子どもたちの、そして私たちの世界が地球上に広がっているわけではありません。自分の世界がどれほど広いのか、他人との比較が難しいその感覚は、本人ですら、はっきりとはわからないものです。

今、多くの子どもたちは、両親や学校の先生以外の大人と出会うことなく、小中学校、人によっては高校や大学、大学院を卒業し、社会に出るといいます。社会といっても、一つの会社組織に就職してしまうと、他の組織を知る機会は限られてしまいます。趣味のサークルや地域コミュニティ、SNSなどでも目にする勉強会やイベントなどを除いて、世界を広げる機会はそれほど多くはありません。これほどまでに情報通信技術が進歩し、インターネットを通して地球上の情報が手に入る現代社会であっても、私たちの世界が広がる機会は、産業革命以前とそれほど変わらないのかもしれません。昨今、ダイバーシティ（多様性）という考え方が盛んに研究されています。世界中がつながり、多くの国々は多民族化し、世代を超えたつながりが当たり前のように生まれる現代において、異なる価値観をもつ人びとがお互いを認め合うことの重要性が高まっています。それほどまでに多くの価値観が同居する現代社会において、私たちの世界は、相変わらず小さいままなのです。

だからこそ、今、必要なのは、新しい学問の創造であると、筆者は考えています。一人ひとりの認識できる世界は、決して大きなものではないかもしれません。しかしながら、アイザック・ニュートンのいうように、連綿と受け継がれた歴史という、社会の大きな物語を紡いできた巨人の肩の上に立ったうえで、自分自身の世界を顧みたとき、見晴らしの良い景色を見ることができます。それこそが、歴代の科学者が行ってきた、学問を創造するという行為です。人が、生きることそれ自体によって創造する自分自身の人生という物語を、歴史の上に位置づけることができれば、それは学問に昇華します。現代において、社会の一員として職を得て、賃金を手にしている人は、間違いなく誰もがプロフェッショナルであり、一人ひとりが、無二の物語を生きています。その物語が学問に昇華するとき、人類の歴史は、また一歩、大きく前進するはずです。

たとえば、一度、母校の小学校や中学校で、自分がどんな仕事をしていて、それが社会にとってどのような意味をもつかを語ってみてください。小中学生を前に話すとなると、あなたの仕事について、客観的に整理する必要に迫られます。そうすると、あなた自身が活躍してきた世界がどのようなものであり、行ってきたことが社会にとってどのような意味をもつのか、そして、それを可能にしたのは、あなたがどのような巨人の肩の上に立ってきたのかを顧みることができます。それは、あなたが描いてきた、あなた自身の物語です。それを語ったとき、好奇心旺盛な子どもたちのなかから、目を輝かせ、どうすればあなたのようになれるかを知りたがる人が現れるかもしれません。そうでなくても、話を聞いた子どもたちの世界は確実に広がります。そうした子どもたちとの関わりによって、あなた自身の世界もまた、広がっていきます。そのとき、あなたがこれまで意識していなかった過去の巨人に目を向け、彼らの創造してきた物語をたどれば、眼前には、さらに見晴らしの良い景色が広がっていきます。それこそが、学問を創造するということです。あなた自身の物語が学問に昇華されたとき、それは書物に残され、やがてはさらに多くの人の世界を広げることにつながります。変化の激しい現代社会だからこそ、人びとを次の時代に導く学問の創造が必要です。そしてそれは、プロフェッショナルとして活躍する私たちにできることであり、求められていることです。

## これからの学問のあり方

意外に感じられるかもしれませんが、学問と職業とは密接な関係にあります。ここでの学問とは、自分の力でお金を得るプロフェッショナルとしての精神に近いものといってよいかもしれません。

筆者の専門とする学問は、コンピュータの仕組みを研究するコンピュータ科学、情報について研究する情報科学、そして、ＡＩを含む社会の問題に数学的視点から挑む数理科学などと呼ばれます。これらの分野の研究には、社会についての理解が欠かせません。これらの分野は、今、(自分を含む)社会の人びとは、どのような状況にあり、何に悩み、どのような未来を切望しているのか、といった、社会に関わるさまざまな問いを知らずして挑める学問ではありません。研究室にこもって実験を行うばかりではなく、実際の社会に出て、今起こっていることを肌で感じ、多くの人と意見交換を行うなかで、社会に生じている諸問題を体感したうえで、なぜそのような問題が生じているのかを多角的に分析していく姿勢が何よりも重要です。「社会」といっても、一括りにできるものではありません。社会は私たち一人ひとりの「人間」によってつくられています。その場所にいる「人間」を知ることなしに、語ることはできません。しかしながら、残念なことに、社会のなかの「人間」を理解しようとする科学者はほとんどいないのではないかと感じられます。現代社会に蔓延する「何かがおかしい」という違和感に、多くの科学者は、答えようとしていないのではないかと、感じられるのです。

たとえば「教育現場で問題が起きている」というニュースがあったとします。そのニュースを分析するにあたっては、「不登校児が1校あたり〇〇名いる」「教員の離職率は〇〇パーセント」など、数値によって問題を把握しようとする方法を、科学者は好んで用います。確かに、数値による問題の把握は欠くことのできないものです。誰か一人の証言だけでは、それが現状を正確に表しているのか、はたまた偏見によるものなのかを切り分けることはできません。しかし、数値で表されたものであれば、それが「何校のデータを分析した結果なのか」「いつ、どのように収集したデータなのか」といった、データがどれほど正確に現状を反映しているものであるかの検証ができます。それが正確なものであればあるほど、現状の把握を的確に行うことができ、実際に起きている問題の的確な解決につながります。数値による把握を行わなければ、誤解や偏見によって誤った対処をすることになり、事態がより悪化してしまいかねません。それが企業であれば、経営悪化につながり、倒産などの悲劇につながっていくこともあるのです。

このような理由から、科学者たちは、社会で起きているさまざまな現象を把握するために数値データの分析を重視しています。ここにも大きな落とし穴があります。データは、ただ収集すればよいというものではありません。どのようなデータを収集するかによって、結果は大きく変化してしまうのです。たとえ社会で問題が起こっていても、それを把握できるかどうかは、その問題に対応するデータを収集しているかどうかにかかっています。そして、データをせっかく収集したとしても、問題に注目して分析しなければ、数値の山に埋もれてしまって、何も見出すことはできません。たとえば、よく耳にする「若者の○○離れ」などといった表現があります。「20代の海外旅行者は、20年前に比べて200万人も減少している」などといった数値データを見ると、「若者が海外から離れ、内向き志向になっている」と結論づけてしまいがちです。しかし「問題は別のところにあるのではないか」と考えることができれば、若者だけでなく、全年齢層のデータに注目することができ、「若者の海外旅行者が減っているのは、単に若者全体の数が減っているだけであって、若者の数の割合を見ると、むしろ、海外志向の若者が増えている」という斬新な知見を得ることもできるのです。このように、どのようなデータを収集して分析すればよいか、どのような問題に注目すればよいかは、机の上でデータを眺めているだけでは決して判断することができません。今、この社会で起きていることを肌で感じることなしには、問題を見つけることすらできないのです。

もちろん、科学者も、何も考えていないわけではありません。科学者の書く論文には序章（イントロダクション）があり、「なぜ今、この研究が必要なのか」を、時代背景や、これまでの技術的進歩の歴史などを踏まえて説明します。序章を書くことは研究そのものよりも重要だといわれています。そして、その研究が必要な理由を、誰にとっても、どの角度から見ても受け入れられるように、説得力の高いストーリーで描き切ることができれば、研究内容そのものに、そのストーリーを裏付けるものとして魂が吹き込まれます。このストーリーを描き切るためには、多くの過去の論文を収集して分析することによって、論文を書いた研究者のストーリーを理解したうえで、問題点を発見し、その問題がどのような意味をもつかを、関連する論文を説得材料として位置づけていくという作業が必要です。データの収集・分析と同様に、どのような問題に着目すべきかは、単に過去の論文を表面的に眺めているだけでは知ることができません。自分自身で問題を発見することができなければ、誰かが描いたストーリーをそのままなぞるだけの、「後追い」といわれるような研究に矮小化してしまいます。短期的に論文を書くためには、「後追い」のほうが効率が良く、競争が激しく余裕のない研究者が多い昨今、自分自身の力で問題を発見してストーリーをつくることができる人が、とくに日本においては少なくなってしまっています。

当然ながら、このような問題に気づいている科学者も少なくなく、市場調査などのフィールドワークによって社会の現状を知り、課題を発見する試みも行われています。昨今、多くの企業の研究所は「社会課題解決」を掲げ、社会にとって役に立つ研究を行うべく、発展途上国の貧困地域での調査や、発電所や鉄道会社でのインタビューなどによって、自分たちがこれまで開発してきた技術が役に立つ先があるかどうか、新しい研究のタネがないかなどを模索しています。確かに、鉄道会社のもつデータを収集して分析することによって、人身事故の傾向を把握したり、混雑を緩和したりなど、社会に入り込むことで、さまざまな問題が解決していくことは間違いありません。しかしながら、電車に乗車している人が何を考え、何に悩み、どんな未来に向かっているのか、一人ひとりの本音は、アンケートやインタビューを行ったところで把握できません。見ず知らずの人から突然「本音を教えてください」「課題を教えてください」「データを下さい」などといわれても、よほどその人を信用しない限りは、本音を話してくれることはないでしょう。今、目の前にいる人に関心をもたず、ただ自己中心的に「教えてください」といっても、そこには何も生まれません。しかし、相手が専門知識をもつことがわかっていて、自分の悩みについて何か知っているのではないかと想像できれば、その人は本音を話し、何かしてくれるのではないかと考えるかもしれません。そこで語られる言葉にこそ「社会課題」は眠っています。

これは、科学者に限った話ではなく、どのような職業についても共通する重要な考え方なのではないでしょうか。たとえば、自社の商品を押し売りしようとする営業マンに興味をもつ人はいません。一方、あなたが通っているスポーツジムで、あなたの話をよく聞いたうえで、親身になって無理なくウェイトを落とす方法を一緒に考えてくれるコーチが、スポーツドリンクやサプリメントを薦めれば、「一度試してみよう」と思うのではないでしょうか。その違いは、あなたに関心をもっているかどうか、共に生きようとしているかどうかです。見ず知らずの営業マンの押し売りする商品があったところで、それが自分の人生にとって何なのかはわかりません。しかし、あなたに興味があり、そのうえで、プロフェッショナルとしてあなたの話を聞いてくれる人にならば、あなたは、進んで自分の人生を共有しようとするかもしれません。多くの人は、押し売りには関心がなく、興味があるのは自分です。自分の悩みを解決してくれたり、想いを実現してくれる何かを、目の前のプロフェッショナルの人がもっていると期待すれば、次々と自分の大事な胸の内を開示し、介入することを望むものです。仕事とは人助けであり、助けてくれたことに対してお金は支払われます。仕事という意味では、人生を共有することに、宝の山が眠っているのです。

現代の情報社会においても、同じことがいえます。ネットワーク化された現代社会において、必要な情報はインターネットを介してやり取りされるデータを分析することによって手に入るため、世界中の人が利用する検索サイトやＳＮＳを運営する組織が所有する「ビッグデータ」をもつことが、ビジネスを成功させる肝であるといわれます。確かに、ビッグデータを分析することによって可能性は大きく広がります。身近な例として、グーグル社による地図情報や衛星画像情報を提供するサービスであるグーグルマップがあります。これを利用して、個人の自宅の庭に置かれた花壇や洗濯物まで詳細に映し出されている様子などを見たことのある人も多いのではないでしょうか。グーグル社は、自社が保有する大量のデータを利用して、次々に斬新な研究成果を披露しています。今、彼らは、銀行口座サービスにまで乗り出そうとしています。他にも、中国のアリババ社は、自社の提供するＳＮＳや電子マネーにより、どの地域にどのような人が住み、どのような買い物をしているのかを手に取るように把握しているので、それらの情報を組み合わせることによって、どの地域に店舗を出店すれば、どれほどの売り上げになるかを詳細に予測することができます。アリババ社が運営するフーマーフレッシュ(盒馬鮮生)というスーパーマーケットは、そうしたビッグデータを分析することで得られた情報を駆使し、次々に店舗を増やし続けています。今や、ビッグデータをもつ巨大企業には勝てない、一党独裁の中国のような国には勝てないという偏見がまことしやかに語られています。しかしながら、「ローマは一日にして成らず」といわれるように、巨大企業もまた、一日にして大成したわけではありません。今や、中国を代表する超巨大ＩＴ企業に成長したアリババ社の創業者であるジャック・マーが最も大事にしているのは人、すなわち「人間」だといいます。

夢を信じること、優秀な人材を見つけること、顧客を満足させることです。数々のアメリカの企業が中国に経営のプロを送り込んでいます。彼らはアメリカにいる上司を喜ばせてはいますが、中国の顧客を喜ばせてはいません。

（ポーター・エリスマン『アリババ――中国eコマース覇者の世界戦略』新潮社）

マーは、目の前の中国の顧客が何に悩んでいるのかを知っていたからこそ、彼らの人生を彩るには何が必要かを考え、実践に移すことによって、より彼らの人生を豊かにすべく、次々にサービスを拡大し、顧客は喜んでサービスを利用し、その結果として、ビッグデータをもつに至りました。最初からデータを奪おうなどという考え方で事業を始めていては、利用者は集まらず、7億人を超える現在の利用者数に成長することはなかったはずです。誰もが、目の前の人の人生について積極的に関心をもち、プロフェッショナルとしてどのように関わっていけるかを考えることができれば、次々に物語が生まれ、それに伴って社会を豊かにする仕事が次々に生まれ、やがては社会全体が豊かになっていきます。情報社会の未来の土台となる鍵は、「人間」にこそあります。そして、この考え方は、日本の江戸時代の文化にも見出すことができます。

江戸時代当時、日本経済の中心は「大坂」でした。住友グループや三菱グループなど、現在の日本を支える錚々たる財閥グループが、「大坂」の地で商売を育て、やがて、世界で活躍する大グループに成長していきました。政治の中心地であった江戸とは距離を置き、経済の拠点としてその地位を確立したからこそ、既存の概念に縛られない、自由闊達で商人的な発想で、彼らは商売を育てていきました。現在、「大阪人は、反体制的で自由を重んじる」などといわれることがありますが、その気質は、まさに、自由闊達な「大坂」という風土によって育まれていったのです。そして、興味深いことに、この「大坂」の地で育まれたものが、実践的かつ体系的な「学問」です。その実践的な学問を支える思想は、日本初の幕府公認の町人の塾「懐徳堂」の塾則に見ることができます。

金儲けや栄達のためでなく、人びとを救う徳を身につけるために学ぶ

（武光誠『大坂商人』ちくま新書）

町人、商売人の思想の中心が「金儲け」ではなく「人びとを救う徳を身につけるために学ぶ」という点にあるというところは、意外に感じられるかもしれません。しかし、実際に自分の責任で商売を行ってみるとよくわかることなのですが、目先の利益のためだけに商売を行うよりも、たとえそれ自体が利益を生み出さないとしても、誰かの実生活に役立つ行為を日々行っていると、それらが蓄となり、やがては大きな花を咲かせるものです。前述したスポーツジムでのコーチのように、常に相手のことを考え、頼られる人のもとには、噂が噂を呼び、次々に人が集まります。頼りにしている人の話には説得力があり、その人の提供する商品やサービスであれば、自分も試してみようと関心をもつようになります。もちろん、その人が困っていれば、何か助けることはできないだろうかと考えます。「人びとを救う徳」を身につける人の周りには、自然と人が集まり、その結果としてお金が回り出します。それこそが、「仕事」をするということであり、それを可能にする「徳」を身につけることが

「学問」であるということを、大坂商人は、長い歴史のなかで会得してきました。

懐徳堂の誕生前夜、仏教をはじめとする既存の思想のなかにも、倫理を説くものはあったものの、商売をも視野に入れた生活に根ざした道徳である「生活道徳」が得られ、商人が拠り所とすべきものは、なかなか見つかりませんでした。懐徳堂の初代学主である三宅石庵は、まさに「人びとを救う徳を身につける」という目的のためであれば、朱子学であれ、陽明学であれ、多くの学説を取り入れ、さらにその基礎を大事にしたうえで、自分自身の学問を築き上げました。このように、一つの学説へのこだわりをもたない石庵の学風は、正体不明で曖昧な妖怪である鵺（ぬえ）にたとえられ、「鵺学問」と呼ばれました。しかし、一つの学派から見れば曖昧に映った彼の学風は、生活道徳を必要とする大坂商人にとっては合理的であり、日常生活に即した教養として、受け入れられたのです。

筆者は、学問に対する懐徳堂と同様の姿勢を、第3章で紹介した「場」の考え方として見出すことができるのではないかと考えています。私たちが「場」を共有するとき、剣道の流派である柳生新陰流が説くように、力業で相手に対峙しようとすると、ただただ相手を屈服させるしかなくなります。しかし、まず相手を「迎え」ることで受け入れ、相手の望む未来を実現できるように自分自身が動くことで、相手と自分が心を一つにすることができ、相手と自分による「即興的なドラマ」たる「場」をつくり出すことができます。「鵺学問」といわれた三宅石庵の、そして懐徳堂の学問は、一つの学説を押し付けることなく、どのような学説であっても、それが目的に適うものであれば取り入れ、新たな学問として昇華したものだったのではないでしょうか。

この考え方は、現代社会においても変わることはありません。どれだけ世界のネットワーク化が進み、情報化が進んでも、この社会を構成するのが私たち「人間」であることには変わりはありません。人びとを救う徳を身につけるために学び、社会を豊かにし、その結果として自分自身も豊かになる。金儲けや栄達(出世)のことばかりを考えていては、自分の世界が広がることはないかもしれません。しかし、学問を修め、人びとを救う徳を身につけ、それを実践することによって、自分自身の世界は大きく広がります。そのなかには、あなたの事業に感謝し、お金を払ってくれる人も、あなたの事業を後押ししてくれる人も、そして、あなたの能力を評価して事業への参画を求める人もいることでしょう。世界を広げ、社会を豊かにし、そして自分自身も豊かになる。情報社会は、人びとを救う学問を身につけた人を後押しする社会であることに、間違いありません。

## シンギュラリティという幻想

昨今、「まもなくシンギュラリティがやってきて、ＡＩに支配される社会がやってくる」と、まことしやかに囁かれ、ある種の社会不安につながっています。前章までの議論を通して考えると、「ＡＩが人間を支配する」などという未来は起こり得ず、「ＡＩに代替されないように創造的な人になれ」といわれるまでもなく、生きるということそれ自体が、機械には代替しようのない能力だということがわかります。人間の能力という高い目標は、超えられない壁であり、たとえ人間の能力の秘密がすべて明るみになったとしても、それを、コンピュータを含めた機械によって実現不可能と表現してもよいくらいのハードルがあります。単なる「ＡＩ」という音の響きではなく、現実を見たうえで議論を行えば、社会不安は解消されていくのではないかと感じます。

ただ、ここで複雑なのは、人間は、生きているからこそ、自分自身の物語を創造していくことができるということです。物語の創造なしには、「椅子がある」ということにすら気づくことができず（第2章）、この世界で生きていくことはできません。しかしながら、物語を創造する能力は、時に「AIが人間を支配する」という現実離れした物語をも創造してしまいます。さらに恐ろしいことに、人は、その物語を実現するように、自らの行動を決めてしまう性質をもつため、実際には起こり得ない未来であっても、その未来に相応しい行動を自らつくり出してしまいます。たとえば、「自分の仕事はAIに奪われる」と思い込んでしまうと、その未来に戦々恐々とするあまり、気後れしてしまう人も少なくありません。「自分には取り得がない」と思い込み、自らが置かれた環境下で実力を発揮することができず、結果として、職を失う未来が現実のものになってしまう、ということもあるのではないでしょうか。AIを取り巻く社会不安は、私たちに「働く」ことの意味の再考を迫っているのかもしれません。

シンギュラリティとは、アメリカの実業家レイ・カーツワイルが提唱した「技術的特異点」と和訳される概念です。彼は、コンピュータが自ら成長し、進化することによって、あるとき、人間の知能を超越し、無限大に近い速度で成長していくと仮定し、人間がコンピュータの能力に追いつけなくなるその瞬間を、技術的な特異点であるシンギュラリティと定義しました。この考え方は、人間とAIが根本的に異なるという本書の姿勢とは大きく異なるものです。しかしながら、想像力豊かな私たち人間は、シンギュラリティという、現実とは異なるファンタジーすらも、現実のものとして想像する能力をもち、厄介なことに、社会運動をも引き起こしているといえます。

シンギュラリティという言葉は、昨今、「ＡＩ」に対する社会不安と相まって、一人歩きして広がっています。逆にとらえるならば、「シンギュラリティ」という言葉が、実際の言葉の枠を超え、社会不安の増幅装置のような働きをしているともいえます。「ＡＩ」がこれから進歩することで、創造的でない人が生き残れず、社会が失業者で溢れるような破滅的な未来に対し、不安を抱く人は少なくありません。現代のネットワーク社会は、極めて画一化が起きやすく(序章)、誤った情報に対し、誤りと気づくことすら難しいフィルターバブル現象(第2章)が、この状況を後押ししているのかもしれません。現代社会において極めて重要なのは、そうした画一化が起きやすい社会構造であるということを知っておくことです。そのためにも、流布された情報ではなく、その情報の根源にまで遡り、初めにその説を唱えた人に注目することが重要です。社会は人がつくっています。情報の発信源となった人の心に、そして物語に触れることで、彼の描いた物語に対して自分はどうありたいかが見えてきます。それこそが、自分の物語を生きるということです。では、カーツワイルが描いた、社会不安の核ともいえるシンギュラリティがどのようなものかを覗いてみましょう。

カーツワイルの考え方を理解するためには、まず、コンピュータとインターネットを中心とする、情報科学の分野の「進化」について理解する必要があります。まず、情報科学のなかでは、コンピュータの計算速度などの性能が「毎年2倍のスピードで成長する」ことが、「ムーアの法則」という経験則として知られています。簡単にいうと、コンピュータの計算速度が、毎年2倍の速度に進化するということです。1年で2倍ということは、10年で１０００倍、30年後は10億倍という成長速度なのです。カーツワイルは、この情報科学における「進化」を、そのまま人間や生物の「進化」と同じものと解釈しました。そして、近い将来、コンピュータ（機械）の「知性」もまた急速に進化し、やがては、人間の「知性」を上回る「特異点」に達すると予測したのです。

カーツワイルは、シンギュラリティを、「われわれの生物としての思考と存在が、みずからのつくり出したテクノロジーと融合する臨界点」であると定義し、その世界は、依然として人間的ではあっても生物としての基盤を超越しているとしています。特異点以後の世界では、人間と機械、物理的な現実とヴァーチャル・リアリティとの間には、区別が存在しないというのが、カーツワイルの考え方です。

カーツワイルは、単に盲目的に、情報科学における「進化」という言葉を、人間や生物の「進化」に当てはめているのではありません。情報科学における「進化」が、人間や生物の「進化」に通じる理由を、「収穫加速の法則」が成り立っているからだと考えています。「収穫加速の法則」とは、進化のスピードは、進化が起こるに従って加速していくという考え方です。「収穫」とは、元々は経済学用語なのですが、人間や生物の「知能」を、農地から取れる収穫量になぞらえ、農業技術が進歩すればするほど、収穫量が加速度的に増大していくように、「知能」もまた、進化すればするほど、その能力は加速度的に大きくなる、といった説明だとイメージすれば、わかりやすいかもしれません。

実際、生物の進化は、生命の誕生から多細胞生物が誕生するまでには長い時間を必要としました。しかし、それから陸上に進出するまでの時間、霊長類が誕生するまでの時間、人間が直立歩行を始めるまでの時間、知能を進化させることによって「言葉」を発明するまでの時間、文字や活版印刷を発

| | | |
|---|---|---|
| 60 年前 | （$10^{1}$ 年前） | コンピュータの発明 |
| 200 年前 | （$10^{2}$ 年前） | 産業革命 |
| | | 活版印刷の発明 |
| 5000 年前 | （$10^{3}$ 年前） | 文字の発明 |
| 1 万年前 | （$10^{4}$ 年前） | 農耕の開始 |
| 20 万年前 | （$10^{5}$ 年前） | 現生人類の起源 |
| 700 万年前 | （$10^{6}$ 年前） | 人類の起源 |
| | | 霊長類の誕生 |
| 6500 万年前 | （$10^{7}$ 年前） | 恐竜の絶滅，新生代のはじまり |
| | | 生物の陸上進出 |
| 5 億年前 | （$10^{8}$ 年前） | 「カンブリア大爆発」(生物種のすべての門の出現) |
| | | 多細胞生物の誕生 |
| 38 億年前 | （$10^{9}$ 年前） | 地球生命の誕生 |
| 138 億年前 | （$10^{10}$ 年前） | ビッグバン(宇宙のはじまり) |

図 **5-1**　生物と人類の進化

明するまでの時間、そして、コンピュータを進化させるまでの時間を見ていくと、急ピッチでその間隔が短くなっているということがわかります（図５‐１）。これこそが、「収穫加速の法則」の根拠であり、コンピュータの進化が間もなく人間を超えるというシンギュラリティの根拠でもあります。

確かに、生物の進化の速度を考えると、最初の生命の誕生から、細胞の構造を進化させて多細胞生物に至るまでに、数十億年が経過している一方で（近年の研究では多細胞生物の出現は21億年前という見解もあります）、その後の、現在の生物種の基礎となる「門」がすべて出現した「カンブリア大爆発」と呼ばれるイベントには、わずか１０００万年にも満たない極めて短い期間しか要していません。「収穫加速の法則」は、そうした観点からも妥当そうではあります。カーツワイルは、この法則をもとに、２０４５年には、10万円のコンピュータの演算能力が人間の脳の１００億倍の知性をもつ（10億倍とされる場合もある）と予測しています。

おそらく彼は、日々進化するコンピュータに目を奪われ、人間の能力を軽んじて考えたのでしょう。仮に、人間の知性（それが何を意味するかはさておき）の１００億倍の能力をもつコンピュータが誕生してしまえば、私たちがどんなに創造的であれ、太刀打ちできないでしょう。彼の考えが正しいとすると、全人類が束になっても太刀打ちできない知性をもつコンピュータが誕生してしまうことになります。しかし、カーツワイルの考えを支持する人にとっては残念なことに、彼の考え方は明確に誤りを含んでいます。それは、人間の「知性」とは何かを定義していないということです。

確かに、コンピュータの性能は日進月歩で向上しています。とはいえ、論理演算を行うコンピュータがどれほど成長しても、それは人間の知性や知能と同じものではありません。第1章で見たように、コンピュータが現実世界の「想定外」に対応するためには、環境の変化を起こさないようにするか、環境の変化をすべて予測するか、あるいは、環境の変化に対し、システム自らが対処するかのいずれかを採用せざるを得ません。あくまで論理演算を行うにすぎないコンピュータは、環境の変化を起こさないようにすることができず、また、あらゆる環境の変化を予測することもできません。そして、環境の変化に対してシステム自らが対処するためには、環境と相互作用する身体が必要です。コンピュータの性能がどれほど高まっても、身体をもたないコンピュータの性質が人間に近づくわけではありません。カーツワイルの考えには、人間についての理解が決定的に欠けています。

コンピュータがどれほど進化しても、人間のように、自分自身の物語を生きることはできません。誰かが書いたプログラムを愚直に実行するにすぎません。愚直ではあれ、日々進化する高性能なコンピュータをどのように生かしていくかは、私たち自身が決めることであり、それは、私たちが自分自身の物語を生き、そのなかにコンピュータを位置づけてはじめて可能になるものです。自分自身の物語を生き、他者との関係のなかで、それを常に発展させていくこと。それこそが生きるということであり、そこにこそ「働く」ということの本当の意味があります。

「将来、自分の仕事はなくなるのではないか」と考えている人がいるのであれば、それは、仕事について新しい見方を手に入れる好機かもしれません。今、仕事をして、お金を手に入れているとすれば、あなたは「人びとを救う」行為をしているということです。それこそが、人びとを救う徳を身につけた「プロフェッショナル」であるということであり、あなた自身がプロフェッショナルであると認められているからこそ、人びとは、あなたに対して喜んでお金を払っているはずです。もちろん、会社勤めをしていると、直接お金を支払うお客様の顔を見ることができないかもしれません。しかしながら、エンドユーザーと呼ばれる、あなたの会社の販売する商品やサービスに対してお金を支払う人は、その商品やサービスに対して価値を感じているからこそ、それを行っているはずです。そしてあなたは、価値ある会社に認められているからこそ、仕事をしているはずです。

このような話をすると、「いやいや、自分の仕事は、資格をもっていれば誰でもできるもので、それも、今度導入されるAIによって代替されるんです。私の仕事はAIに奪われます」という声が聞こえてきそうです。もちろん、新しいツール(「AI」と呼ばれる何らかの自動化を行うものを含む)が導入されれば、実際は仕事がなくなることはなくとも、仕事のプロセスは大きく変わります。それまで手作業で行っていたことを、ツールを使えばできる人が増えるため、新しいツールを使うことに抵抗があったり、手作業にこだわりがあったりする人は、新しい環境に適応できず、「仕事が奪われた」と感じるかもしれません。新しいツールの出現によって、これまでもっていた資格に意味がなくなると感じるかもしれません。しかしながら、現実は、「仕事が奪われる」「意味がなくなる」ということは決してありません。さらにいうならば、それまでキャリアを積んできた人たちが、新しいツールが導入されたからといって、これまでに得た知識や経験のすべてを捨てて、新しいツールに適応しなければならないことはありません。どんなものにも、向こう側には必ず「人」がいます。これまで、たとえ何も知らずに取得した資格で、与えられた仕事のみをこなしていたとしても、そこには必ず、資格をつくった人や、その仕事をつくった人がいます。そこに人がいるということは、必ず「心」があり、時代背景があり、何らかの想いに基づいて、その資格や仕事はつくられたはずです。それを知れば、これまで培った自分の知識や経験の意味がわかります。そこで、ツールが導入された新しい環境において、自分が必要とされている意味を知ることができるはずです。少し変な表現かもしれませんが、「なぜ忙しい自分が、貴重な時間を割いてまで、この資格を取らないといけなかったのか」「お金のためとはいえ、なぜ優秀な自分が、貴重な人生を、これまでその仕事に捧げてきたのか」と問いかけてみると、今、これまでプロフェッショナルとして知識や経験を積み上げてきた自分の意味に気づけるはずです。それこそが、仕事をつくるということなのではないでしょうか。

## 世界から見た日本の可能性

現代社会では、目まぐるしく情報が行き交い、立ち止まって考えることすら難しいといえます。そのような現代社会だからこそ、今、世界は日本を求めていると感じます。日本には、「人びとを救う徳」を説く懐徳堂の学問や、「心を一つにする」ことによって「即興的なドラマ」をつくり出す「場」の理論（第3章）をはじめ、独特の思想や学問が根付いています。ただ、日本の中にいるだけで、世界を見ることなしに、また世界から日本を客観的に見ることなしには日本文化の価値に気づきにくいかもしれません。しかしながら、日本の外の世界に出てみると、自分が生まれ育った日本の文化がいかに独特であるか、また、自分自身がその文化で育った日本人であることを実感します。

世界には、日本に憧れ、猛勉強して日本に留学にやってくる学生や、日本での生活を夢見て、たった一人で日本に乗り込み、日本企業で働く社会人が大勢います。そのなかには、多くの友人に恵まれ、日本での生活を謳歌する人も確かにいます。しかし一方で、筆者は日本での理不尽な常識を押し付けてくる職場環境に悩んだり、なかなか心を開いてくれない日本人の間で悩む外国人に大勢出会いました。もちろん、個人で彼らの悩みを聞いたり、新生活の準備を手伝うことはできても、それには限界があります。もし、彼らが日本文化に馴染めずに悩んでいることを、多くの日本人が知ることができるならば、それは彼らにとっての日本生活を支援できるだけでなく、彼らがより能力を発揮できるようになり、それは日本の輝きを増すことに直結します。それは、現代における懐徳堂の説く「人びとを救う徳」につながるものかもしれません。日本が日本の良さに気づき、世界から期待されていることを知り、世界に門戸を開けば、世界はもっと豊かになるのではないでしょうか。

併し我々はいつまでも唯、西洋文化を吸収し消化するのでなく、何千年来我々を孚み来った東

洋文化を背景として新しい世界的文化を創造して行かねばならぬ
（西田幾多郎『日本文化の問題』より講演「学問的方法」岩波新書）

これは、日本を代表する哲学者、西田幾多郎が遺し、筆者の最も大事にしている言葉の一つです。戦後の日本は、高度経済成長期を経て、世界を席巻するほどの活力を得ました。しかし現在、経済的なゆとりを失った日本は、それとともに、「人びとを救う徳」まで失ってしまっているように、筆者には感じられます。今でこそ、海外でのプレゼンスを失いつつある日本ですが、「人びとを救う徳」を説く懐徳堂を生み出し、相手と「心を一つにする」場の考え方を古くからもつ日本には、本来、ゼロから文化を創造する潜在能力も備わっています。

ここで、一つの事例を紹介します。20世紀末の中国で活躍した日本のビジネスマンがもっていた「徳」は、文化そのものをつくり出しました。現在、中国では、数多くの実店舗やインターネット通販が盛り上がり、小売業界の先進国のようにもいわれている一方、20世紀末頃の実店舗では、接客という概念すら皆無でした。そうしたなか、イトーヨーカ堂は、１９９７年、中国内陸部四川省の成都の地に、初めての海外店舗をオープンしました。日本では、店員はお客様へのおもてなしの精神を当然のようにもっていますが、当時の中国では、店員は威張っているのが当たり前でした。当時のイトーヨーカ堂中国室教育プロジェクトリーダーの長谷川功は、何とかして接客業を現地で根付かせようと、現地採用の従業員たちに対し、挨拶の必要性などを説明するとともに、研修を行いました。しかし、従業員は一人また一人と辞めていき、その人数は１００人に達したといいます。そこで長谷川が行ったことは、「人間」として相手を理解することの意義を教えることでした。当時のイトーヨーカ堂を取材した記録には、研修会場でのその瞬間がありありと描かれています。

あるとき、頭を抱える長谷川のもとへ現地採用マネージャーがやって来た。通訳を隣において真剣な表情で話し始めた。

「挨拶やお辞儀がなぜ必要なのか、私たちにも分かりました。でも先生は日本のやり方をそのまま押し付けようとしています。教えてやっているんだという態度です。それだとみんな反発がありますす」

長谷川はハンマーで殴られたような衝撃を感じた。そして考え込んだ。

翌日の全体集会で、長谷川は静かに話し始めた。

「みなさん、申し訳ない。今までの教え方は、あなたたちの立場を理解しないでやってきた。本当に悪かった」

みんな、何事が起きたのかという表情で長谷川を見つめている。長谷川が続ける。

「これからは、みなさんと一緒に考えながらやっていこうと思う」

と言った瞬間、信じられないことが起きた。

会場から一斉に拍手が起きたのだ。

（湯谷昇羊『「いらっしゃいませ」と言えない国
——中国で最も成功した外資・イトーヨーカ堂』新潮文庫）

その後、現地マネージャーや従業員は、長谷川への敵対的な態度を一変させ、協力的になり、自分たちで問題点などを議論するようになるだけでなく、瞳を輝かせて接客の練習するようになったといいます。もし、長谷川が、日本の接客や研修の方法を妄信し、現地の従業員に押し付けるような態度で接し続けていれば、このような「信じられないこと」は起きなかったでしょう。自分の非を認めるという、当然といえば当然のコミュニケーションではありますが、相手が「人間」であり、それ以上に尊重できるものはないと考えたからこその行動なのではないでしょうか。長谷川の行動は、相手と対峙するのではなく受け入れることで「心を一つに」し、それによって「即興的なドラマ」をつくり出す場の考え方そのものであるといえます。そして、場の考え方を実践する長谷川の行動は、彼自身がそれまで身につけてきた学問をもって行った「人びとを救う」行為であるといえます。

このように、20世紀末のバブル崩壊後の不景気が長く続く時期にあっても、日本には、「人びとを救う徳」があり、新しい文化を創造する土壌がありました。『「いらっしゃいませ」と言えない国』の著者でジャーナリストの湯谷昇羊は、長谷川を含む中国への進出を果たした日本人の派遣メンバーについて、「彼らには、単なるサラリーマンという意識はない。ゼロからの会社作りに関わっているという参画意識、経営者意識があった。そして、イトーヨーカ堂流の流通業を中国に植え付け、中国流通業の歴史を変えるという高い志があった」と記しています。湯谷の説明する「参画意識」「経営者意識」は、「人びとを救う徳」を説く懐徳堂が教え、当時の大坂商人が大事にした「生活道徳」に対応するものといえます。イトーヨーカ堂は、中国国内の巨大流通業に押されながらも、地の利のある成都では積極的に店舗を増やしています。それだけではありません。彼らが根付かせたであろう、接客という文化は、今では中国国内の至るところで見られ、街を歩いていると、大声で「歓迎光臨（いらっしゃいませ）」と練習している様子が至るところで見られるほどです。イトーヨーカ堂の中国派遣メンバーは、「歴史を変える」という志と、現地採用従業員の「人間」を大事にする対話によって、実際に、新しい文化をゼロから創造しました。

今、日本が失っているものがあるとすれば、それは「金儲けや栄達のためでなく、人びとを救う徳を身につけるために学ぶ」という学問に対する姿勢そのものです。日本は、80年代はもちろんのこと、バブルが崩壊した90年代、そして2000年代初頭であっても、まだ、「あの頃を取り戻す」といったような、自国そのものへの誇りがあり、世界に対して働きかける姿勢が残っていたように感じます。もちろん、「あの頃を取り戻す」という言葉自体は、現状を理解しないノスタルジーであり、必ずしも「人びとを救う」という想いがあるわけではないかもしれません。バブル崩壊以前に活躍した人びとは、当時の「成功体験」を未だにひきずったまま「あの頃、俺たちは頑張った！　君たちもやればできるはずだ！」という理屈の通らない精神主義を平気で押し付けることがあります。そうした年配の上司に悩まされる若手ビジネスパーソンは今でも少なくありません。日本が本来もっているはずの場の考え方を理解しているならば、持論を力で押し付けるようなことはせず、部下に対しても、それ以外の人びとに対しても、相手を受け入れることで「心を一つに」し、「即興的なドラマ」をつくり出すことができるはずです。

同様のことは、バブル以前を知らない人びとにも当てはまります。バブル期の活力を知らない世代は冷静です。できないことは「できない」と見切りをつけます。それ自体は冷静な分析かもしれません。しかし、冷静な分析を行うだけでは、他者と「心を一つに」して、「即興的なドラマ」である「場」をつくる力、そして、新しい社会を創造する力は生まれません。昭和の経済成長の時代に日本がもっていた活力と、現代日本がもつ冷静な分析力という二つの歯車が、「金儲けや栄達のためでなく、人びとを救う徳を身につけるために学ぶ」という学問に対する姿勢と嚙み合えば、新しい時代を創造できるのではないでしょうか。それこそが、筆者のもつ、日本に対する想いです。

## 科学技術の進歩と共に

本書は、昨今よく耳にする「創造的でない単純作業はＡＩに任せればいい」という論調に対し、「人間が行っているのは、簡単にＡＩに置き換えられるほど単純なものではない」という研究者としての筆者の想いから、創造力の豊かな人間、そして、これからの情報社会のあり方について、考察を深めてきました。とくに、「人間」への視点に重点を置き、「ＡＩ」を取り巻く技術史について振り返りながら、これからの技術開発が、そして社会がどのように変革していくのかを考察し、私たちが創造するべきこれからの社会を描くことを試みてきました。

とくに、序章で問題提起したように、変化の激しい現代社会を、私たちはどのように生きていくべきかという問いは、本書全体を貫く重要なテーマでした。現代は、リックライダーが描いたように、つくりたい世界、生きたい世界に対する想いが明確であれば、それを原動力に、必要な技術を習得し、人とつながりをつくって新しい世界を切り拓いていくことができる時代です。たとえ、「ＡＩブーム」が、やがては去っていき、別のブームが到来したとしても、「つくりたい世界」が明確にありさえすれば、その力は時代を超え、社会を変革する力となります。

しかしながら、誰もが「つくりたい世界」をもっているわけではありません。自分には新しい世界を創造するような崇高な理想はもてないと考えている人たちはどうすればよいのか。その答えが、本章で繰り返し述べてきた「学問」に対する「金儲けや栄達のためでなく、人びとを救う徳を身につけるために学ぶ」という姿勢にあると筆者は考え、これからの時代を切り拓く道標となると確信しています。確かに、リックライダーの主張するように、「人とコンピュータの共生」がなされることによって、「人間はこれまで誰も考えたことのなかった方法で考えることができ、マシンはこれまで到達できなかったデータ処理が可能となる」ということは、現代においても通用します。そして、コンピュータの力を借り、人間がさらに創造的(クリエイティブ)な生活を送ることもできるでしょう。そうはいっても、誰もが、彼が描いていたような崇高な生き方をすることはできないかもしれません。一方で、「人びとを救う徳を身につけるために学ぶ」という姿勢で学問に臨むことは、誰にとっても実現可能なことです。実際、社会に出て賃金を得ている人は、誰もが「人びとを救う」行為を行っています。そうした、普段何気なく行っている自分自身の「人びとを救う」行為について見つめ直すとともに、場の考え方が教えるように、相手と「心を一つに」し、「即興的なドラマ」をつくり出すことを、さらに深めていけるかどうかを考えていくことが、新たな「学問」の萌芽に、そして、世界的文化の創造につながっていくはずです。このような考え方が当たり前になれば、序章で示した「新しい事業／産業が生まれるメカニズム」は、図５－２に示すような「学問が新しい事業／産業を創造するメカニズム」に生まれ変わるでしょう。

金儲けや栄達（出世）のことばかりを考えるのではなく、学問を修め、人びとを救う徳を身につけ、それを実践する人は、自分自身の世界を大きく広げます。あなたの事業に感謝し、お金を払ってくれる人も、あなたの事業を後押ししてくれる人も、そして、あなたの能力を評価して事業への参画を求める人も現れてくることでしょう。世界が広がることによって、自ずから、つくりたい世界像が見えてくるかもしれません。そうなれば、「ＡＩ」と呼ばれる何らかの技術を使ってそれを実現するのも良いかもしれません。それによって世界に変化を起こし、自分自身の世界もさらに広がっていきます。

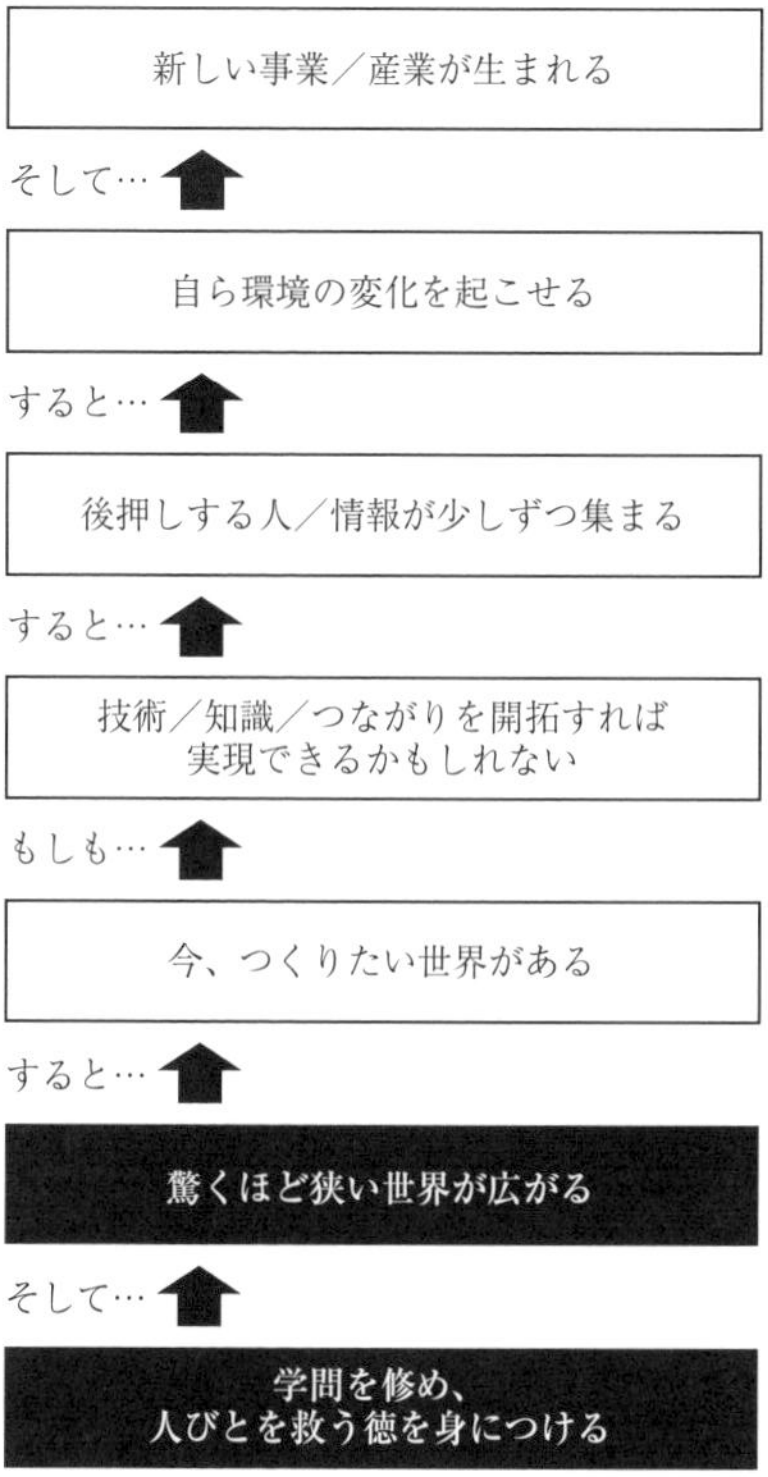

新しい事業／産業が生まれる

そして…

自ら環境の変化を起こせる

すると…

後押しする人／情報が少しずつ集まる

すると…

技術／知識／つながりを開拓すれば
実現できるかもしれない

もしも…

今、つくりたい世界がある

すると…

**驚くほど狭い世界が広がる**

そして…

**学問を修め、**
**人びとを救う徳を身につける**

図**５-２**　学問が新しい事業／産業を創造するメカニズム

そうでなくとも、徳を身につけ、世界を広げている時点で、あなたはすでに、世界に変革をもたらしています。学問を修めて徳を身につけることが基盤になり、それによって世界が広がり、創造が起こっていくという考え方であれば、リックライダーが提唱し、その後の研究者が開拓してきた「人とコンピュータの共生」という考え方との齟齬もなく、また、世界の創造という崇高な想いをもたない人たちにも、生きづらさを感じさせることもないはずです。

世界は可能性に溢れています。その世界は、あなたがやってくることを心待ちにしています。あなただけの物語を携え、情報の世界を自由に歩き回ってみませんか。そこには、多くの巨人が、あなたの参画を待っています。プロフェッショナルである、あなたが活躍する舞台では、あなたは、どのような人を救っていくでしょうか。救われる人たちは、何に悩み、あなたの何を必要とするでしょうか。そうした人たちと創造する即興的なドラマは、どのようなものでしょうか。それを可能にするのは、あなたがどのような巨人の肩の上に立つことができるからでしょうか。巨人の見た景色とはどのようなものでしょうか。より多くの巨人の肩の上に立つとき、その可能性は、より広がるでしょう。

それらの巨人の肩の上に立ち、さらに見晴らしの良い景色を目にしたとき、そのときこそが、あなたが学問を創造したときです。この混沌とした現代社会は、新しい学問を創造する人を求めています。本書が、あなたが世界への扉を開く一助となれば、筆者として、それ以上に望むことはありません。

# おわりに

世界中に拡大した新型コロナウイルス感染症(COVID-19)の影響が続くなか、西新宿の自宅からぼんやりと外を眺め、普段は賑やかな街の様子を懐かしく感じながら本書を振り返っています。感染症後の社会の行方については、さまざまな予測があり、不安が広がっています。どのような未来であれ、重要なのは、本書で強調してきたように、歴史的視野に立ったうえで、自分自身がどのようにありたいのか、そのイメージを一人ひとりがもち、世界に対して能動的に働きかけることです。

感染症の拡大は、それを防ぐ目的で導入されたリモート会議ツールに代表されるように、新しい科学技術を用いたライフスタイルの変革を加速させました。そうした状況は、人びとに格差を生み出していると指摘する論者も少なくありません。たとえば、学校の休校時に動画教材をうまく活用して、発展的な学習や自由研究に取り組む生徒が増える一方、スマートフォンでゲームばかりをして過ごすわが子を見て焦る親御さんも少なくないと聞きます。少しでも最先端に触れなければならないと焦る人が増えるのは、感染症の拡大以前から変わらない社会現象のように思います。

本書の冒頭で述べたように、これからはAIを活用しないと生き残れない、創造的にならなければ仕事を奪われるなどと焦り、幼児期の子どもたちに新しい科学技術や、海外の教育システムに触れさせる人が増えています。新しい試みを教育に取り入れること自体は良いことで、否定するものではありません。しかし、新しい科学技術や海外の情報に目を奪われ、目の前の大事なものを蔑ろにするならば、人として大事なものを欠き、情報社会という新時代を生きる力を失ってしまうように感じます。

本書でも取り上げたＧＡＦＡなどと呼ばれる、グーグル社をはじめ新しい技術を牽引する巨大ＩＴ企業が世界に与える影響と、サービスによる恩恵は計り知れません。しかし、単純にその世界観を優れたものとして思考停止してしまえば、その先にある未来に気づくことはできないでしょう。情報社会のもつ問題を強く意識していた私には、ＧＡＦＡが日々発信する情報に目を奪われる人も、ＡＩや新しい情報に右往左往する人も、同じ状況に陥っているように見えます。

こうした世の中の状況に対する違和感と向き合うことが、本書の主題かつ、私自身の研究活動の最大のモチベーションでした。「人工知能（ＡＩ）」という単なる技術ではなく、人間の「知」について探究する分野の研究に身を投じて見えてきたことは、人間は、敢えて「創造的になれ」といわれなくとも、日々、生きるという物語を創造しており、その力は、自分自身の身体を使って世界に働きかけを行えば行うほど、豊かさを増していくということでした。世界への働きかけとは、ウェブメディアを使って多くの人の注目を集めるような、少数の人にしかできないようなことではありません。何気ない日常で相手を思いやる気持ちがあれば十分です。以前、ギリシャを訪れた際、不愛想なホテルマンに何気なく「エフカリスト」と、ギリシャ語で感謝の気持ちを伝えたときのことです。その一言に、ギリシャ人のホテルマンは目を丸くし、興奮した様子で「「エフカリスト」を知っているのか!?」と身を乗り出しました。彼は、私が潜在的にもつ、ギリシャ文化への好奇心を感じ取ったのかもしれません。そのたった一言は、私たちを、赤の他人から、お互いに関心をもち、物語を共有する関係へといざないました。それからは、現地人しか知らない情報を教えてくれたり、行き届いたホスピタリティを提供してくれたりと、スマートフォンや検索・翻訳技術など、ＧＡＦＡが提供する技術だけでは得られない世界の広がりが私たちに起こりました。こうした経験が本書の根底にあります。

本書は、私が２０１７年に『人工知能の哲学』を出版した直後に構想を始めました。「あとがき」に記した「この情報化社会、何かがおかしい」という一言をきっかけに、岩波書店の猿山直美さんがお声がけくださり、共同作業が始まりました。「未来を予測する最善の方法」というエッセイを岩波書店の月刊誌『図書』12月号に書き、考察をさらに深め、私自身の考える未来を表現したのが本書です。

この執筆を通して、自分自身の想いを掘り下げることの難しさを痛く感じました。書きたい想いは次々に浮かぶ一方で、それがなぜ浮かんでくるのか、物語全体はどこに向かっていくのか。最後まで書き切っては読み返し、自問自答を通して全体を書き換えるという作業を繰り返し、終わりの見えない螺旋を描くような心地でした。未完成の原稿にコメントを下さった猿山さんには、心労をかけてしまいましたが、そうした一つひとつのやりとりがあってこそ、皆さんに読んでいただける本に昇華させることができました。

一冊の本をつくるという行為は言うに及ばず、一つの世界観を提示する本というメディアは、情報を、ウェブを通して得ることが当たり前になった現代においても、その重要性が色褪せることはないと言い切れます。一人の人間の世界観を詰め込んだ本は、本人の身体を超えて伝わります。そうした行為を通して、世界がますます広がっていくことを、さらにはそうした世界観を創造する人が増えていくことを願います。

なお、参考文献は岩波書店ホームページ(https://www.iwanami.co.jp/)内の『人工知能に未来を託せますか?』書誌情報のページからリンクをたどって閲覧してください。

本書は、サイエンスコミュニケーションの企画を共同で行う篠田薫さんに表現に関わるアイデアを、前職のNEC中央研究所でお世話になった小川雅嗣さん、梶木善裕さん、菅原弘人さんには、研究当時を振り返っての多くの貴重な意見を、合同会社アイキュベータ共同代表の三木孝行さん、下山輝昌さん、プロジェクトマネージャーの伊藤淳二さん、私のサイエンスコミュニケーション活動にご協力くださっている佐藤百子さん、大学生の水門菜花さんには、それぞれ専門性をもつ読者の目線から、表現を豊かにする助言をいただきました。

さらには、本書のカバーに写真を提供してくださった武蔵野美術大学の陣内利博先生、日本企業の組織創造のあり方を論じるきっかけをくださった一橋大学名誉教授の野中郁次郎先生、脳や生命を理解するうえでの道標をくださった恩師で東北大学名誉教授の矢野雅文先生、場といのちの理論を通じて哲学的背景をお教えくださった東京大学名誉教授の清水博先生、その他、筆者の講演やワークショップを主催していただいた皆さん、一緒に議論してくださった皆さんのご協力がなければ、本書が世に出ることはありませんでした。心から感謝申し上げます。

2020年5月

著　者

松田雄馬

1982年生まれ，大阪出身．博士(工学)．京都大学大学院修了．NEC中央研究所員としてのMITメディアラボ・ハチソン香港・東京大学との共同研究を経て，東北大学とのブレインウェア(脳型コンピュータ)に関する共同研究プロジェクトにおける基礎研究・社会実装で博士号取得．独立して合同会社アイキュベータを設立，現在，共同代表．一橋大学大学院非常勤講師．AI/IoTを中心に研究開発と情報発信を行う．情報処理学会優秀論文賞，最優秀プレゼンテーション賞受賞．
著書に『人工知能の哲学——生命から紐解く知能の謎』(東海大学出版部)，『人工知能はなぜ椅子に座れないのか——情報化社会における「知」と「生命」』(新潮社)，共著書に『Python実践データ分析100本ノック』(秀和システム)がある．

人工知能に未来を託せますか？
——誕生と変遷から考える

2020年6月26日　第1刷発行

著　者　松田雄馬(まつだゆうま)

発行者　岡本　厚

発行所　株式会社　岩波書店
〒101-8002 東京都千代田区一ツ橋2-5-5
電話案内 03-5210-4000
https://www.iwanami.co.jp/

印刷製本・法令印刷


ISBN 978-4-00-061414-6　Printed in Japan